어휘력 향상에 꼭 필요한 필수 낱말 총정리

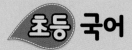

초등 국어

일등급
어휘력

이 책을 추천합니다.

▶▶ 평소에 아이가 책을 많이 접하고 자주 읽게 하려고 노력하는 편인데, 다양한 책을 읽다 보면 당연히 알고 있을 것이라고 생각했던 쉬운 어휘를 모르는 경우가 종종 있었습니다. 그래서 어휘 공부의 필요성을 느끼고 있다가 추천 받은 이 책에서는 한자어, 고유어, 다의어, 동음이의어 등 다양한 기초 낱말과 한자 성어, 속담, 관용어 같은 어려운 내용까지 함께 배울 수 있어서 좋았습니다.

여러 가지 어휘를 모두 다루고 있어서 생각보다 많은 어휘가 들어 있지만, 그림도 있고 짤막한 예문과 문제로 이루어져서 아이가 지루하지 않게 공부할 수 있었습니다. 풍부한 어휘력을 기초부터 다져 나갈 수 있는 좋은 책이라고 생각합니다.

— 이미정 (안산초등학교 3학년 학부모)

▶▶ 지금까지 따로 국어 어휘 공부를 시켜 본 적은 없었는데, 아이가 초등학교 고학년이 되면서 긴 글을 읽을 때 독해력이 조금은 부족한 것 같았습니다. 어휘력이 먼저 기본이 되어야 독해력도 올라갈 것이라는 생각에 이 책으로 어휘 공부를 시작했는데, 어휘를 효과적으로 익힐 수 있어서 이 책을 시작하길 잘했다는 생각이 듭니다.

한 회가 3회로 나누어져 있어서 세부 계획을 세워 매일매일 공부하기에 좋았고, 어휘를 공부한 뒤 제대로 학습했는지를 다시 체크하는 체크 박스도 유용하게 활용하였습니다. 먼저 어휘를 익히고 확인 학습을 푼 다음에 부록의 어휘력 테스트까지 3단계로 공부하니, 아이에게 자연스럽게 반복 학습이 되는 점이 가장 좋았습니다.

— 황이숙 (고은초등학교 6학년 학부모)

▶▶ 탄탄한 어휘력은 독해의 기본입니다. 길고 어려운 글을 독해할 때 우리는 어휘를 중심으로 내용을 유추하며 맥락을 파악합니다. 그러나 탄탄한 어휘력을 쌓는 일은 단시간에 문제를 많이 푼다고 이루어지는 것이 아닙니다. 평소에 좋은 글을 많이 접하고, 어휘가 문장 안에서 어떤 의미로 사용되고 있는지, 이를 대체할 낱말들에는 무엇이 있는지를 곰곰이 생각해 보는 연습이 필요합니다.

물론 처음 시작은 어려울 수 있습니다. 하지만 교과서에서 선별한 다양한 어휘가 실린 이 책으로 초등학생 때부터 낱말의 뜻을 스스로 생각해 보는 꾸준한 연습을 통해 어휘의 기본기를 다진다면, 앞으로의 국어 공부에 큰 도움이 될 것이라고 생각합니다.

— 신주용 (서울대 자유전공학부 19학번)

▶▶ 제가 공부를 하며 깨달았던 것은 모든 학습은 결국 기초를 다지는 것부터 시작한다는 점입니다. 수능 국어 지문들은 점점 더 복합적이고 난해하게 변화하고 있으며, 이를 이해하기 위한 독해력은 하루 이틀 공부한다고 생겨나는 것이 아닙니다. 단순히 책을 많이 읽는 것이 아니라, 가능한 이른 시기부터 체계적으로 준비해야 합니다.

즉 초등학생 때부터 어휘를 알고, 문장을 이해하고, 문단과 구조를 파악하는 연습이 꾸준히 이루어져야 합니다. 기초부터 다진 풍부한 어휘력에서 오는 자신감은 국어뿐만 아니라 다른 과목의 학습에 있어서도 큰 도움이 되리라고 생각합니다. 다양한 어휘를 내 것으로 만들어 이해하려는 연습은 앞으로의 공부에 든든한 기초가 될 것입니다.

— 한송현 (고려대 경제학과 19학번)

'일등급 어휘력'으로 어휘력과 학습 능력을 키워 보세요!

초등 국어

일등급 어휘력

5

이 책으로 공부해야 하는 이유

하나 어휘력은 곧 학습 능력

- **어휘력이 중요한 이유** 초등학생 때는 다양하고 낯선 낱말을 익히는 시기입니다. 이때 형성된 어휘력이 생각하는 힘을 길러 주며, 모든 학습 능력의 기초가 됩니다.

- **어휘력 향상 학습 시스템** 교과 어휘와 심화 어휘를 모두 익히는 이 책의 학습 시스템과 알차고 풍성한 내용으로 어휘력을 확실히 키울 수 있습니다.

둘 810개의 풍부한 낱말 제시

- **교과서 중요 낱말 수록** 각 과목의 기초를 이해하고 학습하는 데 필요한 국어, 사회, 과학 교과서 중요 낱말을 모두 모아 표제어로 다루었습니다.

- **꼼꼼하고 풍부한 어휘 학습** 표제어의 뜻풀이에 등장하는 어려운 낱말을 풀이하고 유의어 · 반의어를 추가로 제시하여, 더욱 풍부한 어휘 학습이 가능합니다.

셋 다양한 유형별 낱말 총 망라

- 교과서와 교과서 밖에서 다양한 유형의 낱말을 골고루 모아 구성하였습니다.

  교과 어휘 교과서에 수록된 필수 어휘 선별

  한자어 / 고유어 학년별 국어, 사회, 과학 교과서에서 배우는 꼭 알아야 하는 낱말

  다의어 · 동음이의어 여러 가지 뜻을 지녔거나, 형태는 같지만 의미는 다른 낱말

  심화 어휘 어휘력 향상에 필수적인 중요 어휘 선별

  관용 표현 주제별로 분류된 한자 성어 · 관용어 · 속담

  헷갈리기 쉬운 낱말 형태가 비슷하여 잘못 사용되기 쉬운 낱말

넷 학습 계획에 따라 단기간, 장기간 모두 활용 가능한 학습 시스템

- **단기 학습을 원하는 경우** 24회로 나뉜 학습 시스템에 따라 단기간 집중 학습으로 24일 만에 어휘력을 빠르게 향상할 수 있습니다.

- **꼼꼼한 학습을 원하는 경우** 한 회를 3회로 쪼개서 매일 조금씩 장기간에 걸쳐 꼼꼼히 어휘 공부를 할 수 있습니다.

이 책의 구조와 활용법

1 스스로 점검하며 **어휘 익히기**

❶ 유형별로 제시된 **표제어의 뜻풀이**를 살펴봅니다.

❷ 제시된 예문을 읽으며 **낱말이 문장 속에서 어떻게 쓰이는지**를 익힙니다.

❸ 어휘쏙, 유의어, 반의어를 익히며 **어휘력을 확장**합니다.

❹ 낱말 옆의 **체크 박스를 활용**하여 확실히 아는 낱말에 체크하고, 완벽하게 익히지 못한 낱말은 복습합니다.

2 문제를 풀며 **실력 다지기**

❶ **다양한 유형의 문제**를 풀며 배운 낱말을 확인합니다.

❷ 교과서 수준보다 더 어려운 **심화 어휘를 골고루 익히고** 문제에 적용할 수 있습니다.

❸ 어휘의 사전적 의미와 문맥적 쓰임, 상황에 어울리는 표현 등을 **이해하고 있는지 평가**합니다.

❹ 틀린 문제의 낱말은 뜻과 예문을 다시 살펴봅니다.

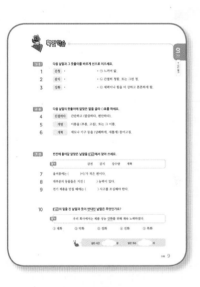

3 어휘력 테스트로 **실력 완성하기**

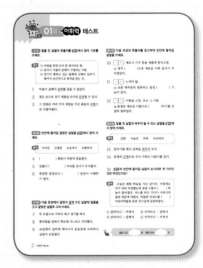

❶ 본문의 회차와 대응되는 **24회의 테스트로 학습 내용을 점검**합니다.

❷ 간단한 문제를 풀며 **본문에서 학습한 낱말을 다시 한번** 익혀서 완전히 자신의 것으로 만듭니다.

❸ 채점하여 점수를 기록하고, **틀린 문제의 낱말**은 본문에서 뜻과 예문을 다시 살펴봅니다.

이 책의 차례

교과 어휘 – 한자어

국어 ☐☐

간결하다
簡 간략할 간 | 潔 깨끗할 결

간단하고 깔끔하다.

예 그는 책상을 간결하게 정리하였다.

국어 ☐☐

간청
懇 간절할 간 | 請 청할 청

간절히 청함. 또는 그런 청.

예 우리는 그의 간청을 들어줄 수 없었다.

유의어 부탁 어떤 일을 해 달라고 청하거나 맡김.

사회 ☐☐

감전
感 느낄 감 | 電 번개 전

전기가 통하고 있는 물체에 신체의 일부가 닿아서 순간적으로 충격을 받는 것.

예 전기 제품을 잘못 만지면 감전이 될 수 있다.

과학 ☐☐

감지
感 느낄 감 | 知 알 지

느끼어 앎.

예 전자파 감지 기능이 있는 컴퓨터이다.

유의어 인식 사물을 분별하고 판단하여 앎.

국어 ☐☐

강수량
降 내릴 강 | 水 물 수 | 量 헤아릴 량

비, 눈, 우박, 안개 등으로 일정 기간 동안 일정한 곳에 내린 물의 총량.

예 올해는 강수량이 매우 적었다.

어휘 쏙 총량 전체의 양 또는 무게.

국어 ☐☐

강화
強 강할 강 | 化 될 화

세력이나 힘을 더 강하고 튼튼하게 함.

예 체력 강화가 가장 급한 일이다.

반의어 약화 세력이나 힘이 약해짐.

사회 ☐☐

개명
改 고칠 개 | 名 이름 명

이름을 고침. 또는 그 이름.

예 나는 새로운 이름으로 개명을 하였다.

유의어 개칭 사람이 아닌 대상의 이름을 고침.

국어 ☐☐

개혁
改 고칠 개 | 革 가죽 혁

제도나 기구 등을 새롭게 뜯어고침.

예 교육 제도의 개혁이 필요하다.

유의어 개변 제도, 시설 등을 발전적인 방향으로 고침.

확인학습

정답 28쪽

1-3 다음 낱말과 그 뜻풀이를 바르게 선으로 이으세요.

1 간청 •
2 감지 •
3 강화 •

• ㉠ 느끼어 앎.
• ㉡ 간절히 청함. 또는 그런 청.
• ㉢ 세력이나 힘을 더 강하고 튼튼하게 함.

4-6 다음 낱말의 뜻풀이에 알맞은 말을 골라 ○표를 하세요.

4 간결하다 간단하고 (깔끔하다, 편안하다).

5 개명 이름을 (부름, 고침). 또는 그 이름.

6 개혁 제도나 기구 등을 (상쾌하게, 새롭게) 뜯어고침.

7-9 빈칸에 들어갈 알맞은 낱말을 보기 에서 찾아 쓰세요.

> 보기   감전   감지   강수량   개혁

7 올여름에는 (   )이/가 적은 편이다.

8 대부분의 동물들은 지진 (   ) 능력이 있다.

9 전기 제품을 만질 때에는 (   ) 사고를 조심해야 한다.

10 보기 의 밑줄 친 낱말과 뜻이 <u>반대</u>인 낱말은 무엇인가요?

> 보기   우리 회사에서는 제품 성능 <u>강화</u>를 위해 계속 노력하였다.

① 대화   ② 약화   ③ 정화   ④ 진화   ⑤ 특화

 걸린 시간 ⬜ 분   맞은 개수 ⬜ 개

교과 어휘 - 고유어

가녀리다

물건이나 사람의 신체 부위 등이 몹시 가늘고 연약하다.

예 들판에 가녀린 꽃들이 피어 있었다.

유의어 가냘프다 몸이나 팔다리 등이 몹시 가늘고 연약하다.

가뿐하다

① 들기 좋을 정도로 가볍다.

예 가방은 생각보다 가뿐하게 들 수 있었다.

② 몸의 상태가 가볍고 상쾌하다.

예 열이 내리고 나니 몸이 한결 가뿐해졌다.

가파르다

산이나 길이 몹시 기울어져 있다.

예 우리는 스키를 타고 가파른 길을 내려갔다.

유의어 비탈지다 땅이 경사가 급하게 기울어져 있다.

갈피

일이나 사물의 갈래가 구별되는 어름.

예 그의 행동은 갈피를 잡을 수가 없다.

어휘 쏙 어름 구역과 구역의 경계점.

갸웃하다

고개나 몸 등을 한쪽으로 조금 기울이다.

예 정인이는 까닭을 몰라 머리를 갸웃하였다.

거스르다

남의 말이나 가르침, 명령 등과 어긋나는 태도를 취하다.

예 친구는 선생님의 말씀을 거스르고 말았다.

걸맞다

두 편을 견주어 볼 때 서로 어울릴 만큼 비슷하다.

예 우리는 생일 잔치에 걸맞게 방을 꾸몄다.

유의어 적합하다 일이나 조건 등에 꼭 알맞다.

견주다

둘 이상의 사물을 어떠한 차이가 있는지 알기 위하여 서로 대어 보다.

예 그들과 견주어 보면 우리 실력이 더 낫다.

유의어 비교하다 둘 이상의 사물을 견주어 서로 간의 비슷한 점, 차이점 등을 연구하다.

[1-3] 다음 뜻풀이에 알맞은 낱말을 [보기]에서 찾아 쓰세요.

> [보기]
>
> 가뿐하다   갸웃하다   거스르다   견주다

1 고개나 몸 등을 한쪽으로 조금 기울이다. ( )

2 남의 말이나 가르침, 명령 등과 어긋나는 태도를 취하다. ( )

3 둘 이상의 사물을 어떠한 차이가 있는지 알기 위하여 서로 대어 보다. ( )

[4-6] 다음 밑줄 친 낱말과 바꾸어 쓸 수 있는 낱말을 찾아 바르게 선으로 이으세요.

4 내 친구는 팔이 <u>가녀린</u> 편이다.   •   • ㉠ 가냘픈

5 그는 그 자리에 <u>걸맞은</u> 사람이다.   •   • ㉡ 비탈진

6 우리는 <u>가파른</u> 산길을 열심히 올라갔다. •   • ㉢ 적합한

[7-8] 다음 낱말이 들어갈 문장을 찾아 바르게 선으로 이으세요.

7 가뿐하게 •   • ㉠ 계단이 ( ) 설치되어 있었다.

8 가파르게 •   • ㉡ 밤에 푹 잤더니 아침에 ( ) 일어났다.

9 [보기]의 밑줄 친 낱말의 뜻풀이로 알맞은 것의 기호를 쓰세요.

> [보기]
>
> 앞으로 어떻게 해야 하는지 <u>갈피</u>가 잡히지 않았다.

㉠ 일이나 사물의 갈래가 구별되는 어름.
㉡ 어떤 일을 이루기 위하여 대책과 방법을 세움.

걸린 시간 [   ] 분   맞은 개수 [   ] 개

심화 어휘 – 헷갈리기 쉬운 낱말

가리다
여럿 가운데에서 하나를 구별하여 고르다.
예 많은 선물 가운데에서 내 것을 **가려서** 가지고 왔다.

가르다
쪼개거나 나누어 따로따로 되게 하다.
예 한 학년을 청군과 백군으로 **갈라서** 운동회를 하였다.

거치다
① 오가는 도중에 어디를 지나거나 들르다.
예 우체국을 **거쳐서** 병원으로 갔다.
② 어떤 과정이나 단계를 겪거나 밟다.
예 입학할 학생들은 시험을 **거쳐** 선발된다.

걷히다
구름이나 안개 등이 흩어져 없어지다.
예 뿌연 안개가 **걷히며** 파란 하늘이 드러났다.

결합
結 맺을 결 | 合 합할 합
둘 이상의 사물이나 사람이 서로 관계를 맺어 하나가 됨.
예 두 공간의 **결합**이 효과적으로 이루어졌다.

조합
組 짤 조 | 合 합할 합
여럿을 한데 모아 한 덩어리로 짬.
예 우리는 여러 꽃들의 **조합**이 아름답다고 느꼈다.

고동치다
심장이 심하게 뛰다.
예 급하게 뛰었더니 심장이 마구 **고동쳤다.**

요동치다
搖 흔들릴 요 | 動 움직일 동
심하게 흔들리거나 움직이다.
예 골짜기의 출렁다리가 바람에 따라 **요동쳤다.**

1-3 다음 낱말과 그 뜻풀이를 바르게 선으로 이으세요.

1 가르다 •　　　　　　　• ㉠ 심장이 심하게 뛰다.

2 걷히다 •　　　　　　　• ㉡ 구름이나 안개 등이 흩어져 없어지다.

3 고동치다 •　　　　　　　• ㉢ 쪼개거나 나누어 따로따로 되게 하다.

4-6 빈칸에 들어갈 알맞은 낱말을 보기에서 찾아 쓰세요.

> **보기**　　　가려서　　갈라서　　거치는　　걷히는

4 이 책에서 좋은 문장만을 (　　　　) 따로 모았다.

5 산꼭대기에 구름이 (　　　　) 것이 선명하게 보였다.

6 이 시험은 졸업을 위해 모두 (　　　　) 단계라고 하였다.

7-8 다음 문장에 알맞은 낱말을 골라 ○표를 하세요.

7 이번 기업 간의 (결합, 조합)으로 많은 이익이 발생하였다.

8 폭풍우 때문에 파도가 크게 (고동치며, 요동치며) 밀려 왔다.

9-10 다음 글에서 잘못된 부분을 찾아 바르게 고쳐 쓰세요.

> 생일날이 되니까 기분이 좋아서 가슴이 요동쳤다. 친구들과 커다란 생일 케이크를 여러 조각으로 갈라 나누어 먹었다. 친구들과 공원으로 나오니 구름이 거치고 난 파란 하늘이 너무 예뻤다.

9 (　　　　) ➡ (　　　　)

10 (　　　　) ➡ (　　　　)

걸린 시간　　　　분　　　맞은 개수　　　　개

02회

교과 어휘 - 한자어

건립 建 세울 건 | 立 설 립
건물, 기념비, 동상, 탑 등을 만들어 세움.
예) 학교에서 동상 건립을 시작하였다.

검색 檢 검사할 검 | 索 찾을 색
① 범죄나 사건을 밝히기 위한 단서나 증거를 찾기 위하여 살펴 조사함.
예) 길에서 경찰에게 검색을 당했다.
② 책이나 컴퓨터에서, 목적에 따라 필요한 자료들을 찾아내는 일.
예) 숙제를 위해 컴퓨터에서 자료 검색을 하였다.
유의어) 수색 구석구석 뒤지어 찾음.

격렬하다 激 격할 격 | 烈 세찰 렬
말이나 행동이 세차고 사납다.
예) 격렬한 운동은 건강에 무리가 될 수 있다.
유의어) 과격하다 정도가 지나치게 격렬하다.

격식 格 격식 격 | 式 법 식
격에 맞는 일정한 방식.
예) 우리는 격식을 차려 인사를 드렸다.

어휘 쏙) 격 주위 환경이나 형편에 자연스럽게 어울리는 분수나 품위.

견문 見 볼 견 | 聞 들을 문
보거나 듣거나 하여 깨달아 얻은 지식.
예) 여행을 하면 견문을 넓힐 수 있다.
유의어) 식견 학식과 견문이라는 뜻으로, 사물을 분별할 수 있는 능력을 이르는 말.

경관 景 경치 경 | 觀 볼 관
산이나 들, 강, 바다 등의 자연이나 지역의 풍경.
예) 눈이 내리니 뒷산의 경관이 빼어났다.

유의어) 경치 산이나 들, 강, 바다 등의 자연이나 지역의 모습.

경로 經 지날 경 | 路 길 로
① 지나는 길.
예) 집으로 돌아오는 경로는 항상 같았다.
② 일이 진행되는 방법이나 순서.
예) 어떤 경로로 시작된 일인지 알아보았다.

어휘 쏙) 진행 일 등을 처리하여 나감.

경청 傾 기울 경 | 聽 들을 청
귀를 기울여 들음.
예) 그의 말에 사람들이 모두 경청을 하였다.

1-3 다음 낱말과 그 뜻풀이를 바르게 선으로 이으세요.

1 건립 •
2 격식 •
3 경관 •

• ㉠ 격에 맞는 일정한 방식.
• ㉡ 건물, 기념비, 동상, 탑 등을 만들어 세움.
• ㉢ 산이나 들, 강, 바다 등의 자연이나 지역의 풍경.

4-6 다음 낱말의 뜻풀이에 알맞은 말을 골라 ○표를 하세요.

4 격렬하다 말이나 행동이 세차고 (사납다, 우습다).

5 견문 보거나 듣거나 하여 (엿보아, 깨달아) 얻은 지식.

6 검색 책이나 컴퓨터에서, (기분, 목적)에 따라 필요한 자료들을 찾아내는 일.

7-8 빈칸에 들어갈 알맞은 낱말을 보기 에서 찾아 쓰세요.

보기   견문   경로   경청

7 우리는 항상 같은 (   )(으)로 움직였다.

8 회의 중에는 참석자의 발언을 (   )해야 한다.

9-10 다음 밑줄 친 낱말과 바꾸어 쓸 수 있는 낱말을 보기 에서 찾아 쓰세요.

보기   과격   수색   식견

9 경찰은 범인을 잡기 위해 검색을 강화하였다.   (   )

10 그는 견문을 넓히기 위해 다양한 공부를 하며 경험을 쌓았다.   (   )

걸린 시간   분   맞은 개수   개

교과 어휘 - 고유어

고작

기껏 따져 보거나 헤아려 보아야.

예 고작 그런 것으로 내가 만족할 줄 아니?

유의어 기껏 힘이나 정도가 미치는 데까지.

곰곰이

여러모로 깊이 생각하는 모양.

예 아버지는 곰곰이 생각에 잠기셨다.

유의어 깊이 생각이 듬쑥하고 신중하게.

구불거리다

이리저리 구부러지다.

예 우리는 구불거리는 길을 따라갔다.

유의어 구불구불하다 이리로 저리로 구부러지다.

귀퉁이

물건의 모퉁이나 삐죽 나온 부분.

예 밥상의 귀퉁이가 닳아서 낡아 보였다.

유의어 모서리 물체의 모가 진 가장자리.

어휘 쏙 모퉁이 구부러지거나 꺾어져 돌아간 자리.

그윽하다

① 깊숙하여 아늑하고 고요하다.

예 아주 조용하고 그윽한 겨울밤이었다.

② 느낌이 은근하다.

예 따뜻한 차 향기가 그윽하였다.

어휘 쏙 아늑하다 포근하게 감싸 안기듯 편안하고 조용한 느낌이 있다.

기우뚱하다

물체가 한쪽으로 약간 기울어져 있다.

예 건물이 기우뚱하게 서 있었다.

길목

길의 중요한 통로가 되는 어귀.

예 우리는 그들이 오는 길목을 지켰다.

유의어 어귀 드나드는 목의 첫머리.

까끌까끌하다

표면이 매우 거칠고 깔끄럽다.

예 흙바닥이 생각보다 까끌까끌했다.

정답 28쪽

1-3 다음 뜻풀이에 알맞은 낱말을 보기에서 찾아 쓰세요.

보기 구불거리다 그윽하다 기우뚱하다 까끌까끌하다

1 이리저리 구부러지다. (   )

2 깊숙하여 아늑하고 고요하다. (   )

3 표면이 매우 거칠고 깔끄럽다. (   )

4-6 다음 밑줄 친 낱말과 바꾸어 쓸 수 있는 낱말을 찾아 바르게 선으로 이으세요.

4 필통 <u>귀퉁이</u>에 붙임딱지를 붙였다. • • ㉠ 기껏

5 <u>고작</u> 그런 일로 싸우게 될 줄은 몰랐다. • • ㉡ 깊이

6 아무리 <u>곰곰이</u> 생각해 보아도 알 수 없다. • • ㉢ 모서리

7-9 다음 낱말이 들어갈 문장을 찾아 바르게 선으로 이으세요.

7 그윽한 • • ㉠ 그의 (   ) 어깨가 불안해 보였다.

8 기우뚱한 • • ㉡ 주머니에서 (   ) 모래가 떨어졌다.

9 까끌까끌한 • • ㉢ 어머니는 (   ) 미소를 띠고 우리를 바라 보셨다.

10 보기의 밑줄 친 낱말과 바꾸어 쓸 수 있는 낱말은 무엇인가요?

보기 우리는 그가 다니는 동네 <u>길목</u>에서 한참을 기다렸다.

① 도로 ② 샛길 ③ 어귀 ④ 지름길 ⑤ 큰길

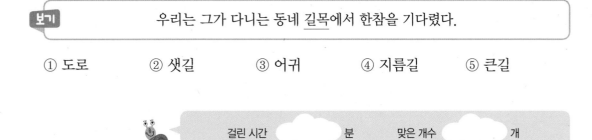

걸린 시간   분   맞은 개수   개

심화 어휘 – 주제별 한자 성어

★ 사람의 마음

명경지수
明 밝을 명 | 鏡 거울 경 | 止 그칠 지 | 水 물 수

맑은 거울과 고요한 물.
예 모두 **명경지수**와 같이 깨끗한 마음으로 살자.

이심전심
以 써 이 | 心 마음 심 | 傳 전할 전 | 心 마음 심

마음과 마음으로 서로 뜻이 통함.
예 우리는 오랜 친구여서 말을 하지 않아도 **이심전심**으로 통했다.

일편단심
一 하나 일 | 片 조각 편 | 丹 붉을 단 | 心 마음 심

한 조각의 붉은 마음이라는 뜻으로, 진심에서 우러나오는 변치 아니하는 마음을 이르는 말.
예 그는 **일편단심**으로 평생 동안 한 임금을 모셨다.

측은지심
惻 슬퍼할 측 | 隱 숨을 은 | 之 갈 지 | 心 마음 심

불쌍히 여기는 마음.
예 가여운 처지의 사람들을 보니 **측은지심**이 우러났다.

★ 은혜를 잊지 못함

각골난망
刻 새길 각 | 骨 뼈 골 | 難 어려울 난 | 忘 잊을 망

남에게 입은 은혜가 뼈에 새길 만큼 커서 잊히지 아니함.
예 선생님께서 베풀어 주신 은혜는 **각골난망**할 만큼 감사하다.

결초보은
結 맺을 결 | 草 풀 초 | 報 갚을 보 | 恩 은혜 은

죽은 뒤에라도 은혜를 잊지 않고 갚음을 이르는 말.
예 이 은혜는 잊지 않고 꼭 **결초보은**하겠다.

백골난망
白 흰 백 | 骨 뼈 골 | 難 어려울 난 | 忘 잊을 망

죽어서 백골이 되어도 잊을 수 없다는 뜻으로, 남에게 큰 은덕을 입었을 때 고마움의 뜻으로 쓰이는 말.
예 어려울 때 도와주신 그 은혜가 **백골난망**이었다.
어휘쏙 은덕 은혜와 덕. 또는 은혜로운 덕.

확인학습

1-3 다음 한자 성어와 그 뜻풀이를 바르게 선으로 이으세요.

1　각골난망　・　　　　　・ ㉠ 불쌍히 여기는 마음.

2　결초보은　・　　　　　・ ㉡ 죽은 뒤에라도 은혜를 잊지 않고 갚음을 이르는 말.

3　측은지심　・　　　　　・ ㉢ 남에게 입은 은혜가 뼈에 새길 만큼 커서 잊히지 아니함.

4-5 다음 한자 성어의 뜻풀이에 알맞은 말을 골라 ○표를 하세요.

4　이심전심　마음과 (몸, 마음)으로 서로 뜻이 통함.

5　백골난망　죽어서 (백골, 흙)이 되어도 잊을 수 없다는 뜻으로, 남에게 큰 은덕을 입었을 때 고마움의 뜻으로 쓰이는 말.

6-8 빈칸에 들어갈 알맞은 한자 성어를 보기 에서 찾아 쓰세요.

> 보기　　　　각골난망　　　명경지수　　　일편단심　　　측은지심

6　마음속 깊은 곳이 (　　　　　　)처럼 맑아지는 느낌이었다.

7　안타까운 사정을 보아서 용서해 달라고 (　　　　　　)에 호소하였다.

8　백구는 주인에 대한 (　　　　　　)(으)로 멀리서부터 주인을 찾아왔다.

9　다음 밑줄 친 상황을 표현하기에 알맞은 한자 성어는 무엇인가요?

> 제비는 흥부에게 보물이 나오는 박씨를 물어다 주어서, 흥부가 자신의 부러진 다리를 고쳐 준 은혜를 잊지 않고 갚았다.

① 각골난망　② 결초보은　③ 명경지수　④ 이심전심　⑤ 측은지심

걸린 시간　　　　　분　　　맞은 개수　　　　　개

03회

교과 어휘 - 한자어

국어

고대
古 옛 고 | 代 시대 대

옛 시대.

예 고대에 세워진 건축물인데도 웅장하였다.

유의어 옛날 지난 지 꽤 오래된 시기를 막연히 이르는 말.

사회

고려하다
考 생각할 고 | 慮 생각할 려

생각하고 헤아려 보다.

예 우리는 특별한 경우까지 고려하였다.

국어

고안
考 생각할 고 | 案 생각 안

연구하여 새로운 안을 생각해 냄. 또는 그 안.

예 그는 계절에 맞는 신상품을 고안 중이다.

유의어 개발 새로운 물건을 만들거나 새로운 생각을 내어놓음.

국어

공손하다
恭 공손할 공 | 遜 겸손할 손

말이나 행동이 겸손하고 예의 바르다.

예 진아는 공손한 태도로 인사를 드렸다.

반의어 불손하다 말이나 행동 등이 버릇없거나 겸손하지 못하다.

국어

공약
公 공변될 공 | 約 맺을 약

정부, 정당, 입후보자 등이 어떤 일에 대하여 국민에게 실행할 것을 약속함. 또는 그런 약속.

예 후보자는 선거에서 많은 공약을 내세웠다.

어휘 쏙 정당 정치적인 주의나 주장이 같은 사람들이 정치적 이상을 실현하기 위하여 조직한 단체.

국어

공정
公 공변될 공 | 正 바를 정

공평하고 올바름.

예 판사들은 공정하게 판단하려고 노력하였다.

유의어 공평 어느 쪽으로도 치우치지 않고 고름.

과학

관측
觀 볼 관 | 測 헤아릴 측

눈이나 기계로 자연 현상의 상태나 변화 등을 관찰하여 측정하는 일.

예 아빠와 함께한 별자리 관측은 정말 즐거웠다.

어휘 쏙 측정 일정한 양을 기준으로 하여 같은 종류의 다른 양의 크기를 잼.

과학

광학
光 빛 광 | 學 배울 학

빛의 성질과 현상을 연구하는 학문.

예 광학 렌즈는 카메라의 성능을 높여 준다.

1-3 다음 낱말과 그 뜻풀이를 바르게 선으로 이으세요.

1 고안 •

2 공약 •

3 광학 •

• ㉠ 빛의 성질과 현상을 연구하는 학문.

• ㉡ 연구하여 새로운 안을 생각해 냄. 또는 그 안.

• ㉢ 정부, 정당, 입후보자 등이 어떤 일에 대하여 국민에게 실행할 것을 약속함. 또는 그런 약속.

4-5 다음 밑줄 친 낱말과 바꾸어 쓸 수 있는 낱말을 보기 에서 찾아 쓰세요.

보기	개발 공평 옛날

4 <u>고대</u>에는 사람들의 평균 수명이 길지 않았다.　　　　(　　　)

5 우리는 <u>공정</u>한 경기를 위해 다함께 규칙을 정했다.　　　(　　　)

6-8 빈칸에 들어갈 알맞은 낱말을 보기 에서 찾아 쓰세요.

보기	고려 고안 공손 관측

6 그는 어르신들을 위한 발명품을 (　　　)하였다.

7 나는 친구의 입장을 (　　　)하여 질문에 대신 대답했다.

8 여름 날씨는 쉽게 변하기 때문에 기상 (　　　)이/가 어렵다.

9 보기 의 밑줄 친 낱말과 뜻이 <u>반대</u>인 낱말은 무엇인가요?

보기	민정이는 <u>공손한</u> 말투로 선생님께 말씀을 드렸다.

① 겸손한　　② 다정한　　③ 불손한　　④ 어색한　　⑤ 정당한

걸린 시간　　　　분　　　맞은 개수　　　　개

 교과 어휘 – 다의어

곱다

① 모양, 생김새, 행동거지 등이 산뜻하고 아름답다.
예 화분에 꽃이 **곱게** 피어났다.

② 소리가 듣기에 맑고 부드럽다.
예 아이들의 **고운** 노랫소리가 들렸다.

③ 가루나 알갱이 등이 아주 잘다.
예 밀가루를 **곱게** 체에 쳐서 반죽을 준비했다.

④ 그대로 온전하다.
예 적들을 **곱게** 보내줄 수는 없었다.

깊다

① 겉에서 속까지의 거리가 멀다.
예 호수는 보기보다 굉장히 **깊었다**.

② 생각이 듬쑥하고 신중하다.
예 문제가 없는지 주의 **깊게** 살펴보았다.

③ 어둠이나 안개 등이 자욱하고 **빡빡하다**.
예 그늘이 **깊게** 드리워져 있었다.

 **교과 어휘** – 동음이의어

거르다¹

찌꺼기나 건더기가 있는 액체를 체나 거름종이 등에 밭쳐서 액체만 받아 내다.
예 된장을 체에 **걸러** 냈더니 국물이 맑았다.

거르다²

차례대로 나아가다가 중간에 어느 순서나 자리를 빼고 넘기다.
예 하루도 **거르지** 않고 운동을 하기로 계획을 세웠다.

구하다¹
求 구할 구

필요한 것을 찾다. 또는 그렇게 하여 얻다.
예 우리는 피구를 하기 위해 급하게 공을 **구했다**.

구하다²
救 구원할 구

위태롭거나 어려운 지경에서 벗어나게 하다.
예 구급대원이 그의 목숨을 **구해** 주었다.
어휘쏙 **위태롭다** 어떤 형세가 마음을 놓을 수 없을 만큼 위험한 듯하다.

확인 학습

1-2 **밑줄 친 낱말의 뜻으로 알맞은 것의 기호를 쓰세요.**

1 바닷가의 하얀 모래가 아주 곱고 부드러웠다. ( )

㉠ 가루나 알갱이 등이 아주 잘다.
㉡ 모양, 생김새, 행동거지 등이 산뜻하고 아름답다.

2 열심히 일을 하다 보니 점심도 거르고 있었다. ( )

㉠ 차례대로 나아가다가 중간에 어느 순서나 자리를 빼고 넘기다.
㉡ 찌꺼기나 건더기가 있는 액체를 체나 거름종이 등에 밭쳐서 액체만 받아 내다.

3-5 **다음 밑줄 친 낱말의 뜻풀이를 찾아 바르게 선으로 이으세요.**

3 오두막집은 깊은 산속에 있었다. •
4 그는 우리를 깊게 배려해 주었다. •
5 안개가 깊어 길이 보이지 않았다. •

• ㉠ 생각이 듬쑥하고 신중하다.
• ㉡ 겉에서 속까지의 거리가 멀다.
• ㉢ 어둠이나 안개 등이 자욱하고 빡빡하다.

6-7 **빈칸에 들어갈 알맞은 낱말을 보기 에서 찾아 쓰세요.**

보기   거르고   곱고   구하고

6 언니는 ( ) 아름다운 목소리로 노래를 불렀다.

7 더러운 흙탕물을 계속 ( ) 나니 맑은 물이 되었다.

8-9 **다음 뜻풀이에 알맞은 낱말을 보기 에서 찾아 기호를 쓰세요.**

보기   현우: 구급대가 오염된 지역의 사람들을 ㉠구하러 가는 것을 보았니?
        민지: 응. 그 사람들이 마실 물을 ㉡구할 수 있었으면 좋겠다.

8 필요한 것을 찾다. 또는 그렇게 하여 얻다. ( )

9 위태롭거나 어려운 지경에서 벗어나게 하다. ( )

걸린 시간   분   맞은 개수   개

심화 어휘 – 주제별 속담

★ 우연한 상황

가는 날이 장날

일을 보러 가니 뜻하지 않게 장이 서는 날이라는 뜻으로, 어떤 일을 하려고 하는데 뜻하지 않은 일을 당함을 이르는 말.

예 가는 날이 장날이라더니 모처럼 찾아간 도서관이 쉬는 날이었다.

까마귀 날자 배 떨어진다

아무 관계 없이 한 일이 우연히 때가 같아 어떤 관계가 있는 것처럼 의심을 받게 됨을 이르는 말.

예 까마귀 날자 배 떨어진다고, 내가 자리에서 일어나자 옆에 있던 아이가 울기 시작했다.

소 뒷걸음질 치다 쥐 잡기

소가 뒷걸음질 치다가 우연히 쥐를 잡게 되었다는 뜻으로, 우연히 공을 세운 경우를 이르는 말.

예 화분에 물만 주었는데 이렇게 예쁜 꽃이 피다니, 소 뒷걸음질 치다 쥐 잡은 격이다.

심화 어휘 – 주제별 관용어

★ 간과 관련된 관용어

간을 졸이다

매우 걱정되고 불안스러워 마음을 놓지 못하다.

예 성적표를 숨긴 것을 들킬까 봐 간을 졸였다.

간이 떨어지다

몹시 놀라다.

예 갑자기 문이 열려서 간이 떨어질 뻔했다.

간이 붓다

지나치게 대담해지다.

예 유하는 간이 부었는지 선생님이 앞에 계셔도 몰래 딴짓을 한다.

어휘쏙 대담하다 담력이 크고 용감하다.

간이 작다

대담하지 못하고 몹시 겁이 많다.

예 나는 간이 작아서 무서운 영화를 보지 못한다.

정답 28쪽

1-3 다음 관용어와 그 뜻풀이를 바르게 선으로 이으세요.

1 간이 붓다   •   • ㉠ 몹시 놀라다.

2 간이 작다   •   • ㉡ 지나치게 대담해지다.

3 간이 떨어지다 •   • ㉢ 대담하지 못하고 몹시 겁이 많다.

4-5 다음 뜻풀이에 알맞은 속담을 보기 에서 찾아 기호를 쓰세요.

> 보기 ㉠ 가는 날이 장날   ㉡ 까마귀 날자 배 떨어진다   ㉢ 소 뒷걸음질 치다 쥐 잡기

4 아무 관계 없이 한 일이 우연히 때가 같아 어떤 관계가 있는 것처럼 의심   (   )
을 받게 됨을 이르는 말.

5 일을 보러 가니 뜻하지 않게 장이 서는 날이라는 뜻으로, 어떤 일을 하려   (   )
고 하는데 뜻하지 않은 일을 당함을 이르는 말.

6-7 빈칸에 들어갈 알맞은 낱말을 보기 에서 찾아 쓰세요.

> 보기 개   까마귀   까치   닭   쥐

6 '(   ) 날자 배 떨어진다'고 나는 그때 식당에 있었을 뿐인데 음식을 다 먹었다는
의심을 받게 되었다.

7 수업 시간에 별로 준비도 안 했는데 그렇게 발표를 잘하다니, 완전히 소 뒷걸음질 치다
(   ) 잡은 격이구나.

8 다음 상황에 알맞은 관용어를 골라 ○표를 하세요.

> 진영이는 간이 (부었는지, 졸았는지) 일주일 연속 지각을 하고서는, 막상 선생님께서
> 교무실로 오라고 하시자 간을 (졸이며, 늘리며) 떨고 있었다. 원래 진영이는 겁도 많고
> 간이 (작은, 큰)데 늦잠을 자느라 지각을 많이 했다고 한다.

걸린 시간   분   맞은 개수   개

04회

공부한 날 ◯ 월 ◯ 일

교과 어휘 – 한자어

국어

광활하다
廣 넓을 광 | 闊 트일 활

막힌 데가 없이 트이고 넓다.
예 골짜기 너머에는 광활한 들판이 펼쳐져 있었다.

반의어 협소하다 공간이 좁고 작다.

국어

교묘하다
巧 교묘할 교 | 妙 묘할 묘

솜씨나 재주 등이 남달리 재치 있게 약삭빠르고 묘하다.
예 그들은 교묘한 속임수로 우리를 속였다.

어휘 쏙 약삭빠르다 눈치가 빠르거나, 자기 잇속에 맞게 행동하는 데 재빠르다.

국어

구제
救 구원할 구 | 濟 도울 제

어려움이나 위험에 빠진 사람을 돕거나 구하여 줌.
예 홍수로 입은 피해 구제를 위해 노력하였다.

유의어 구호 재해나 재난 등으로 어려움에 처한 사람을 도와 보호함.

사회

국경
國 나라 국 | 境 지경 경

나라와 나라 사이의 경계.
예 우리는 국경을 넘어 다른 나라로 향했다.

국어

권장
勸 권할 권 | 奬 장려할 장

권하여 장려함.
예 선생님은 학생들에게 독서를 권장하셨다.

유의어 장려 좋은 일에 힘쓰도록 북돋아 줌.

사회

균등
均 고를 균 | 等 같을 등

고르고 가지런하여 차별이 없음.
예 국민 모두에게 기회의 균등이 보장되어야 한다.

유의어 균일 한결같이 고름.
어휘 쏙 차별 둘 또는 여럿 사이에 차등을 두어 구별함.

과학

기공
氣 기운 기 | 孔 구멍 공

식물의 잎이나 줄기의 겉껍질에 있는, 숨쉬기를 하는 구멍.
예 식물들은 기공을 통해 숨을 쉰다.

국어

기막히다
氣 기운 기

① 너무 놀랍거나 언짢아서 할 말이 없다.
예 우리는 너무 기막혀서 할 말이 없었다.
② 어떻다고 말할 수 없을 만큼 대단하다.
예 기막힌 경치에 저절로 감탄이 나왔다.

어휘 쏙 언짢다 마음에 들지 않거나 좋지 않다.

1-3 다음 뜻풀이에 알맞은 낱말을 보기 에서 찾아 쓰세요.

보기 　　　광활하다　　　교묘하다　　　권장하다　　　기막히다

1 막힌 데가 없이 트이고 넓다.　　　　　　　　　　　　（　　　　　）

2 너무 놀랍거나 언짢아서 할 말이 없다.　　　　　　　（　　　　　）

3 솜씨나 재주 등이 남달리 재치 있게 약삭빠르고 묘하다.（　　　　　）

4-6 다음 밑줄 친 낱말과 바꾸어 쓸 수 있는 낱말을 찾아 바르게 선으로 이으세요.

4 여기 있는 제품은 모두 품질이 <u>균등</u>하다.　　•　　　　　•㉠ 구호

5 정부는 수재민 <u>구제</u>에 앞장서고 있었다.　　•　　　　　•㉡ 균일

6 선생님의 <u>권장</u>에 따라 우리는 일찍 등교하였다.•　　　　•㉢ 장려

7-9 다음 낱말이 들어갈 문장을 찾아 바르게 선으로 이으세요.

7 구제　•　　　　　　•㉠ 우리가 입은 피해는 (　　　　)이/가 가능했다.

8 국경　•　　　　　　•㉡ 식물의 (　　　　)은/는 보통 잎에 넓게 퍼져 있다.

9 기공　•　　　　　　•㉢ 그들은 목숨을 걸고 (　　　　)을/를 넘어서 자유를 찾아갔다.

10 보기 의 밑줄 친 낱말과 뜻이 <u>반대</u>인 낱말은 무엇인가요?

보기 　　정상에 오르니 눈 아래에 산맥들이 <u>광활하게</u> 펼쳐져 있었다.

① 교묘하게　　② 균일하게　　③ 기막히게　　④ 평탄하게　　⑤ 협소하게

걸린 시간　　　　분　　　맞은 개수　　　　개

 교과 어휘 - 고유어

깐깐하다

행동이나 성격 등이 까다로울 만큼 빈틈이 없다.

예 그녀는 깐깐한 성격이라 완벽하게 일했다.

유의어 까다롭다 따지는 것이 많거나 별스러워서 맞추기 어렵다.

꾸러미

꾸리어 싼 물건.

예 그는 간식 꾸러미를 챙겨 가방에 넣었다.

유의어 묶음 한데 모아서 묶어 놓은 덩이.

끌어모으다

어떤 대상을 자신이 원하는 목적을 이루기 위해 한곳에 모으다.

예 나는 친구들을 끌어모아 집으로 초대했다.

나날이

매일매일 조금씩.

예 토마토가 나날이 빨갛게 익어 갔다.

유의어 매일매일 하루하루.

나른하다

맥이 풀리거나 고단하여 기운이 없다.

예 오후가 되니 졸립고 몸이 나른하였다.

유의어 맥없다 기운이 없다.

낚아채다

무엇을 갑자기 세차게 잡아당기다.

예 나는 그의 팔을 낚아채어 데리고 나왔다.

남다르다

보통의 사람과 유난히 다르다.

예 채민이는 농구를 남다르게 잘하는 편이었다.

유의어 특별하다 보통과 구별되게 다르다.

어휘 쏙 유난히 언행이나 상태가 보통과 아주 다르게.

너그럽다

마음이 넓고 아량이 있다.

예 아저씨는 우리를 보며 너그럽게 웃으셨다.

유의어 관대하다 마음이 너그럽고 크다.

어휘 쏙 아량 너그럽고 속이 깊은 마음씨.

1-3 다음 낱말과 그 뜻풀이를 바르게 선으로 이으세요.

1 깐깐하다 •   • ㉠ 보통의 사람과 유난히 다르다.

2 낚아채다 •   • ㉡ 무엇을 갑자기 세차게 잡아당기다.

3 남다르다 •   • ㉢ 행동이나 성격 등이 까다로울 만큼 빈틈이
                                        없다.

4-5 다음 낱말의 뜻풀이에 알맞은 말을 골라 ○표를 하세요.

4 너그럽다 마음이 (급하고, 넓고) 아량이 있다.

5 나른하다 맥이 풀리거나 (고단하여, 실망하여) 기운이 없다.

6-8 빈칸에 들어갈 알맞은 낱말을 보기 에서 찾아 쓰세요.

> 보기   깐깐하게   끌어모아서   나른해서   남다르게

6 봄이 되니 (   ) 자꾸 멍해졌다.

7 그는 (   ) 재치가 있고 똑똑한 편이었다.

8 여러 정보를 (   ) 사건을 다시 구성해 보았다.

9-10 다음 밑줄 친 낱말과 바꾸어 쓸 수 있는 낱말을 보기 에서 찾아 쓰세요.

> 보기   그동안   낱개   매일매일   묶음

9 현대의 과학 기술은 나날이 발전하고 있다.   (   )

10 엄마는 커다란 옷 꾸러미에서 양말을 찾으셨다.   (   )

걸린 시간   분   맞은 개수   개

심화 어휘 – 헷갈리기 쉬운 낱말

골다

잠잘 때 거친 숨결이 콧구멍을 울려 드르렁거리는 소리를 내다.

예 아빠는 거의 매일 날마다 코를 골았다.

곯다

속이 물크러져 상하다.

예 과일을 냉장고 밖에 두었더니 날씨가 더워서 곯았다.

어휘 쏙 물크러지다 너무 무르거나 풀려서 본 모양이 없어지도록 헤어지다.

굳다

단단하지 않은 물질이 단단하게 되다.

예 시멘트를 바른 벽이 다 굳었다.

궂다

비나 눈이 내려 날씨가 나쁘다.

예 파도가 심하고 날이 궂어서 배가 뜨지 못했다.

끼우다

벌어진 사이에 무엇을 넣고 죄어서 빠지지 않게 하다.

예 벽의 구멍에 나사를 끼워 넣고 조였다.

끼이다

벌어진 사이에 들어가 죄이고 빠지지 않게 되다.

예 지하철 문틈에 몸이 끼이고 말았다.

담다

어떤 물건을 그릇 등에 넣다.

예 병에 샘물을 담아서 집으로 가져갔다.

담그다

김치나 술 등을 만드는 재료를 섞어 익도록 그릇에 넣다.

예 나는 엄마를 도와서 함께 김치를 담갔다.

확인학습

1-3 다음 낱말과 그 뜻풀이를 바르게 선으로 이으세요.

1 골다 •

• ㉠ 단단하지 않은 물질이 단단하게 되다.

2 굳다 •

• ㉡ 벌어진 사이에 무엇을 넣고 죄어서 빠지지 않게 하다.

3 끼우다 •

• ㉢ 잠잘 때 거친 숨결이 콧구멍을 울려 드르렁거리는 소리를 내다.

4-6 빈칸에 들어갈 알맞은 낱말을 **보기**에서 찾아 쓰세요.

> **보기**   끼여서   끼워서   담가서   담아서

4 집에서 직접 된장을 ( ) 더 맛있었다.

5 큰 접시에 고기를 가득 ( ) 맛있게 먹었다.

6 문에 손가락이 ( ) 다치지 않도록 매우 조심하였다.

7-8 다음 문장에 알맞은 낱말을 골라 ○표를 하세요.

7 달걀을 깨보니 속이 모두 (골아, 곯아) 있었다.

8 비바람이 몰아치는 (굳은, 궂은) 날씨 때문에 약속을 취소했다.

9-10 다음 글에서 잘못된 부분을 찾아 바르게 고쳐 쓰세요.

> 동생이 매일 밤마다 코를 심하게 곯아서 나는 잠을 푹 잘 수가 없었다. 그래서 오늘은 동생이 잘 때 몰래 코에다 휴지를 돌돌 말아 끼여 넣어 보았다. 그랬더니 잠깐 동안은 조용해져서 나도 편하게 잘 수 있었다.

9 ( ) → ( )

10 ( ) → ( )

걸린 시간 [ ] 분   맞은 개수 [ ] 개

05회

교과 어휘 – 한자어

국어

기색
氣 기운 기 | 色 빛 색

마음의 작용으로 얼굴에 드러나는 빛.
예 현지는 반가운 **기색**을 보이며 인사를 했다.

유의어 ▶ 얼굴빛 얼굴에 나타나는 표정이나 빛깔.

국어

기이하다
奇 기묘할 기 | 異 다를 이

기묘하고 이상하다.
예 그들이 **기이한** 행동을 하는 까닭이 궁금했다.

유의어 ▶ 기묘하다 생김새 등이 이상하고 묘하다.

과학

기포
氣 기운 기 | 泡 거품 포

액체나 고체 속에 기체가 들어가 거품처럼 둥그렇게 부풀어 있는 것.
예 사이다를 따랐더니 **기포**가 올라왔다.

사회

내전
內 안 내 | 戰 싸울 전

한 나라 안에서 일어나는 싸움.
예 그 나라는 여러 해 동안 **내전**을 겪었다.

유의어 ▶ 내란 나라 안에서 정권을 차지하려고 벌이는 큰 싸움.

국어

다급하다
多 많을 다 | 級 급할 급

일이 바싹 닥쳐서 매우 급하다.
예 나는 **다급한** 마음에 열심히 뛰었다.

유의어 ▶ 급박하다 조금도 여유가 없이 매우 급하다.

과학

단열
斷 끊을 단 | 熱 더울 열

물체와 물체 사이에 열이 서로 통하지 않도록 막음.
예 우리 집은 **단열**이 잘되어서 난방비가 적다.

사회

대륙
大 큰 대 | 陸 뭍 륙

바다로 둘러싸인 지구상의 커다란 육지.
예 호주는 섬이 아니라 **대륙**이다.

유의어 ▶ 내륙 바다에서 멀리 떨어져 있는 육지.

국어

대처
對 대할 대 | 處 곳 처

어떤 정세나 사건에 대하여 알맞은 조치를 취함.
예 경찰관이 교통사고 **대처**를 도와주었다.

유의어 ▶ 조치 사태를 잘 살펴서 필요한 대책을 세워 행함.
어휘 쏙 정세 일이 되어 가는 형편.

1-3 다음 낱말과 그 뜻풀이를 바르게 선으로 이으세요.

1 기포 •

2 내전 •

3 단열 •

• ㉠ 한 나라 안에서 일어나는 싸움.

• ㉡ 물체와 물체 사이에 열이 서로 통하지 않도록 막음.

• ㉢ 액체나 고체 속에 기체가 들어가 거품처럼 둥그렇게 부풀어 있는 것.

4-6 다음 낱말의 뜻풀이에 알맞은 말을 골라 ○표를 하세요.

4 기색 마음의 작용으로 (눈, 얼굴)에 드러나는 빛.

5 대륙 (바다, 바위)로 둘러싸인 지구상의 커다란 육지.

6 대처 어떤 정세나 사건에 대하여 알맞은 (정치, 조치)를 취함.

7-8 빈칸에 들어갈 알맞은 낱말을 보기 에서 찾아 쓰세요.

> 보기   기색   내전   단열

7 겨울에는 (   )을 잘 해야 추위를 막을 수 있다.

8 친구는 화가 난 (   )을 드러내지 않고 참으려고 노력하였다.

9-10 다음 밑줄 친 낱말과 바꾸어 쓸 수 있는 낱말을 보기 에서 찾아 쓰세요.

> 보기   급박하게   기묘하게   생생하게

9 그녀는 <u>다급하게</u> 뛰어오더니 앞집 문을 마구 두드렸다.   (   )

10 날마다 같은 시간에 같은 노래가 들리는 것이 <u>기이하게</u> 생각되었다.   (   )

걸린 시간   분   맞은 개수   개

교과 어휘 – 고유어

---

^{국어} ☐ ☐

넌지시

드러나지 않게 가만히.

예 어디로 갈 예정이냐고 넌지시 물어보았다.

▶유의어 가만히 움직이지 않거나 아무 말 없이.

---

^{국어} ☐ ☐

노릇

① 맡은 바 구실.

예 잘 자란 아이가 효자 노릇을 하였다.

② 일의 됨됨이나 형편.

예 계속 비밀을 감추는 것도 못할 노릇이었다.

▶어휘 쏙 구실 자기가 마땅히 해야 할 맡은 바 책임.

---

^{사회} ☐ ☐

누그러지다

① 딱딱한 성질이 부드러워지거나 약하여지다.

예 그는 화가 풀려 표정이 누그러졌다.

② 추위, 질병, 물가 등이 내려 덜하여지다.

예 추위가 누그러져서 한층 따뜻했다.

▶유의어 수그러들다 형세나 기세가 점점 줄어들다.

---

^{국어} ☐ ☐

느닷없다

나타나는 모양이 아주 뜻밖이고 갑작스럽다.

예 아이가 느닷없이 달려 나와서 깜짝 놀랐다.

▶유의어 갑작스럽다 미처 생각할 겨를이 없이 급하게 일어난 데가 있다.

---

^{국어} ☐ ☐

다부지다

일을 해내는 솜씨나 태도가 빈틈이 없고 야무진 데가 있다.

예 그는 무슨 일이든 다부지게 잘했다.

▶유의어 야무지다 성격이나 태도 등이 어수룩함이 없이 똑똑하고 기운차다.

---

^{국어} ☐ ☐

달싹이다

어깨나 엉덩이, 입술 등이 가볍게 들렸다 놓였다 하다.

예 그녀는 입술을 달싹였지만 말은 하지 않았다.

---

^{국어} ☐ ☐

덧없다

보람이나 쓸모가 없어 헛되고 허전하다.

예 인생이 덧없어 보이고 쓸쓸해졌다.

▶유의어 속절없다 단념할 수밖에 달리 어찌할 도리가 없다.

---

^{국어} ☐ ☐

돋보이다

무리 중에서 훌륭하거나 뛰어나 도드라져 보이다.

예 전시회에서 현주의 작품이 단연 돋보였다.

1-3 다음 뜻풀이에 알맞은 낱말을 보기 에서 찾아 쓰세요.

> 보기   누그러지다   달싹이다   덧없다   돋보이다

1 보람이나 쓸모가 없어 헛되고 허전하다.   (   )

2 무리 중에서 훌륭하거나 뛰어나 도드라져 보이다.   (   )

3 어깨나 엉덩이, 입술 등이 가볍게 들렸다 놓였다 하다.   (   )

4-6 다음 밑줄 친 낱말과 바꾸어 쓸 수 있는 낱말을 찾아 바르게 선으로 이으세요.

4 누나가 <u>느닷없이</u> 내 방에 들어왔다.   •   • ㉠   가만히

5 나는 그에게 쪽지를 <u>넌지시</u> 건네어 주었다.   •   • ㉡   갑작스럽게

6 그는 자신이 맡은 일을 <u>다부지게</u> 처리하였다.   •   • ㉢   야무지게

7-8 다음 낱말이 들어갈 문장을 찾아 바르게 선으로 이으세요.

7   덧없는   •   • ㉠ 엄마는 (   ) 음식 솜씨로 상을 차리셨다.

8   돋보이는   •   • ㉡ 남의 눈을 의식하며 살아온 것은 (   ) 일이었다.

9-10 밑줄 친 낱말의 뜻으로 알맞은 것의 기호를 쓰세요.

9 날씨가 따뜻해져서 감기 기운이 <u>누그러졌다</u>.   (   )
㉠ 추위, 질병, 물가 등이 내려 덜하여지다.
㉡ 딱딱한 성질이 부드러워지거나 약하여지다.

10 대체 이 <u>노릇</u>을 어찌해야 할지 모르겠다.   (   )
㉠ 맡은 바 구실.
㉡ 일의 됨됨이나 형편.

걸린 시간   분   맞은 개수   개

심화 어휘 – 주제별 한자 성어

★ 인생은 예측할 수 없음

고진감래
苦 괴로울 고 | 盡 다할 진 | 甘 달 감 | 來 올 래

쓴 것이 다하면 단 것이 온다는 뜻으로, 고생 끝에 즐거움이 옴을 이르는 말.

예 고진감래라더니 힘들어도 참고 꾸준히 운동했더니 건강해졌다.

새옹지마
塞 변방 새 | 翁 늙은이 옹 | 之 갈 지 | 馬 말 마

인생의 길흉화복은 변화가 많아서 예측하기가 어렵다는 말.

예 인간사는 새옹지마라고 하더니, 회사를 그만두고 시작한 장사가 이렇게 잘될 줄은 몰랐다.

어휘쏙 길흉화복 좋은 일과 나쁜 일, 행복한 일과 불행한 일을 아울러 이르는 말.

전화위복
轉 구를 전 | 禍 재앙 화 | 爲 할 위 | 福 복 복

재앙과 근심, 걱정이 바뀌어 오히려 복이 됨.

예 시험이 어려웠던 것이 전화위복이 되어 오히려 다른 친구들보다 성적이 더 올랐다.

흥망성쇠
興 흥할 흥 | 亡 망할 망 | 盛 성할 성 | 衰 쇠할 쇠

흥하고 망함과 성하고 쇠함.

예 우리 조직의 흥망성쇠는 너희들에게 달렸다는 것을 명심하여라.

★ 시절이 무척 태평함

강구연월
康 편안할 강 | 衢 네거리 구 | 煙 연기 연 | 月 달 월

번화한 큰 길거리에서 달빛이 연기에 은은하게 비치는 모습을 나타내는 말로, 태평한 세상의 평화로운 풍경을 이르는 말.

예 그들의 행복하고 편안한 모습이 강구연월과 같았다.

태평성대
太 클 태 | 平 평평할 평 | 聖 성인 성 | 代 시대 대

어진 임금이 잘 다스리어 태평한 세상이나 시대.

예 전쟁에서 승리한 후 백성들은 태평성대를 누리게 되었다.

함포고복
含 머금을 함 | 哺 먹을 포 | 鼓 북 고 | 腹 배 복

잔뜩 먹고 배를 두드린다는 뜻으로, 먹을 것이 풍족하여 즐겁게 지냄을 이르는 말.

예 모두들 고기를 나누어 먹고 함포고복하였다.

1-3 다음 한자 성어와 그 뜻풀이를 바르게 선으로 이으세요.

1　새옹지마　•
　　　　　　　　　　　• ㉠ 흥하고 망함과 성하고 쇠함.

2　전화위복　•
　　　　　　　　　　　• ㉡ 재앙과 근심, 걱정이 바뀌어 오히려 복이 됨.

3　흥망성쇠　•
　　　　　　　　　　　• ㉢ 인생의 길흉화복은 변화가 많아서 예측하기가
　　　　　　　　　　　　　어렵다는 말.

4-5 다음 한자 성어의 뜻풀이에 알맞은 말을 골라 ○표를 하세요.

4　강구연월　태평한 세상의 (지루한, 평화로운) 풍경을 이르는 말.

5　함포고복　(먹을, 즐길) 것이 풍족하여 즐겁게 지냄을 이르는 말.

6-8 빈칸에 들어갈 알맞은 한자 성어를 보기 에서 찾아 쓰세요.

> 보기　　　고진감래　　　새옹지마　　　태평성대　　　흥망성쇠

6　온 백성이 (　　　　　)의 복을 누리는 평화로운 시대였다.

7　역사를 공부하면서 옛 문명의 (　　　　　)에 대해 배울 수 있었다.

8　(　　　　　)라더니 젊어서 고생한 덕분에 지금은 여유 있는 생활을 하게 되었다.

9　다음 상황을 표현하기에 알맞은 한자 성어는 무엇인가요?

> 아끼던 장난감을 잃어버려서 방 안을 뒤져 보다가 예전에 숨겨 놓은 용돈을 발견하였다.
> 그런데 동생이 그 돈이 자기 돈이라고 우겨서 둘이 싸우다가 엄마께 꾸중 듣고 말았다.

① 강구연월　　② 새옹지마　　③ 태평성대　　④ 함포고복　　⑤ 흥망성쇠

　걸린 시간　　　　　분　　　맞은 개수　　　　　개

 – 한자어

독차지
獨 홀로 독

혼자서 모두 차지함.
⬤ 많은 선물이 그의 **독차지**가 되었다.

▶유의어▶ 독점 혼자서 모두 차지함.

동참
同 같을 동 | 參 참여할 참

어떤 모임이나 일에 같이 참가함.
⬤ 친구들의 **동참**으로 학교 바자회가 진행되었다.

막대하다
莫 없을 막 | 大 큰 대

더할 수 없을 만큼 많거나 크다.
⬤ 그의 활약 덕분에 우리는 **막대한** 이익을 보았다.

▶유의어▶ 엄청나다 짐작이나 생각보다 정도가 아주 심하다.

만끽하다
滿 찰 만 | 喫 마실 끽

충분히 만족할 만큼 느끼고 즐기다.
⬤ 나는 오랜만의 휴가를 **만끽하고** 돌아왔다.

▶유의어▶ 누리다 생활 속에서 마음껏 즐기거나 맛보다.

망명
亡 망할 망 | 命 목숨 명

정치적인 이유로 자기 나라에서 박해를 받는 사람이 이를 피해 외국으로 몸을 옮김.
⬤ 대통령은 자리에서 물러난 뒤에 **망명**을 계획하였다.

▶어휘 쏙▶ 박해 못살게 굴어서 해롭게 함.

매체
媒 중매 매 | 體 몸 체

어떤 소식이나 사실을 널리 전달하는 물체나 수단.
⬤ 이번 사건은 여러 언론 **매체**에서 보도하였다.

면담
面 낯 면 | 談 말씀 담

서로 만나서 이야기함.
⬤ 우리는 선생님께 **면담**을 요청하였다.

▶유의어▶ 대화 마주 대하여 이야기를 주고받음. 또는 그 이야기.

명칭
名 이름 명 | 稱 일컬을 칭

사람이나 사물 등의 이름.
⬤ 우리 모임의 **명칭**은 정하지 않았다.

▶유의어▶ 이름 다른 것과 구별하기 위하여 사물 등에 붙여서 부르는 말.

▶ 정답 29쪽

[1-3] 다음 낱말과 그 뜻풀이를 바르게 선으로 이으세요.

1 동참 •   • ㉠ 어떤 모임이나 일에 같이 참가함.

2 망명 •   • ㉡ 어떤 소식이나 사실을 널리 전달하는 물체나 수단.

3 매체 •   • ㉢ 정치적인 이유로 자기 나라에서 박해를 받는 사람
                               이 이를 피해 외국으로 몸을 옮김.

[4-6] 다음 낱말의 뜻풀이에 알맞은 말을 골라 ○표를 하세요.

4 독차지   (둘이서, 혼자서) 모두 차지함.

5 막대하다   더할 수 없을 만큼 (많거나, 작거나) 크다.

6 만끽하다   충분히 (기억할, 만족할) 만큼 느끼고 즐기다.

[7-8] 빈칸에 들어갈 알맞은 낱말을 **보기** 에서 찾아 쓰세요.

> **보기**   막대   만끽   면담

7 그는 학생들과 따로 (   )한 결과를 정리하였다.

8 정부는 이번 협상에 (   )한 영향력을 끼치고 있다.

[9-10] 다음 밑줄 친 낱말과 바꾸어 쓸 수 있는 낱말을 **보기** 에서 찾아 쓰세요.

> **보기**   독점   동참   이름

9 그는 기부로 들어오는 물품을 <u>독차지</u>하였다.   (   )

10 새로 만드는 단체의 <u>명칭</u>을 한글로 짓자고 제안하였다.   (   )

걸린 시간   분   맞은 개수   개

교과 어휘 - 다의어

꾸미다

① 모양이 나게 매만져 차리거나 손질하다.

예 언니는 예쁘게 **꾸미고** 친구를 만나러 갔다.

② 거짓이나 없는 것을 사실인 것처럼 지어내다.

예 친구는 없는 이야기를 **꾸며** 말하고 다녔다.

③ 어떤 일을 짜고 만들다.

예 우리끼리 먼저 계획을 **꾸미고** 나중에 실행하기로 했다.

날카롭다

① 끝이 뾰족하거나 날이 서 있다.

예 가위가 **날카로우니** 조심해야 한다.

② 모양이나 형세가 매섭다.

예 그는 **날카로운** 눈길로 우리를 노려보았다.

③ 소리나 냄새 등이 감각에 거슬릴 만큼 강하다.

예 골목에 **날카로운** 비명 소리가 울렸다.

교과 어휘 - 동음이의어

내복[1]
內 안 내 | 服 입을 복

보온이나 피부의 보호를 위해 겉옷의 속에 받쳐 입는 옷.

예 동생은 **내복** 바람으로 집 안을 돌아다녔다.

내복[2]
內 안 내 | 服 한 번에 마시는 약의 분량 복

약 등을 먹음.

예 머리가 아파서 두통약을 **내복**하였다.

대기[1]
待 기다릴 대 | 機 기회 기

때나 기회를 기다림.

예 우리들은 출발 시간을 기다리며 **대기** 중이었다.

대기[2]
大 큰 대 | 氣 기운 기

'공기'를 달리 이르는 말.

예 미세 먼지가 없어지자 **대기**가 깨끗해졌다.

확인 학습

1-2 밑줄 친 낱말의 뜻으로 알맞은 것의 기호를 쓰세요.

1   엄마가 모처럼 <u>꾸미시니까</u> 훨씬 젊어 보이셨다.   (   )
    ㉠ 모양이 나게 매만져 차리거나 손질하다.
    ㉡ 거짓이나 없는 것을 사실인 것처럼 지어내다.

2   태풍의 영향으로 <u>대기</u> 중의 오염 물질이 많이 흩어졌다.   (   )
    ㉠ 때나 기회를 기다림.
    ㉡ '공기'를 달리 이르는 말.

3-5 다음 밑줄 친 낱말의 뜻풀이를 찾아 바르게 선으로 이으세요.

3   고양이의 발톱이 <u>날카로웠다</u>.   •   • ㉠ 모양이나 형세가 매섭다.

4   그의 첫 인상은 아주 <u>날카로웠다</u>. •   • ㉡ 끝이 뾰족하거나 날이 서 있다.

5   술 냄새가 <u>날카롭게</u> 코를 찔렀다. •   • ㉢ 소리나 냄새 등이 감각에 거슬릴
                                                        만큼 강하다.

6-7 빈칸에 들어갈 알맞은 낱말을 <보기>에서 찾아 쓰세요.

> 보기   꾸미고   날카롭고   대기하고

6   식당 손님은 여기에서 (   ) 계십시오.

7   그들은 비밀스럽게 작전을 (   ) 있었다.

8-9 다음 뜻풀이에 알맞은 낱말을 <보기>에서 찾아 기호를 쓰세요.

> 보기   현서: 어젯밤에 ㉠<u>내복</u>을 입었는데도 춥고 열이 났었어.
>   진영: 그럴 때는 감기약을 ㉡<u>내복</u>하고 몸을 따뜻하게 해야 해.

8   약 등을 먹음.   (   )

9   보온이나 피부의 보호를 위해 겉옷의 속에 받쳐 입는 옷.   (   )

걸린 시간   분   맞은 개수   개

심화 어휘 – 주제별 속담

★ 부적절한 행동

누워서 침 뱉기

하늘을 향하여 침을 뱉어 보아야 자기 얼굴에 떨어진다는 뜻으로, 자기에게 해가 돌아올 짓을 함을 이르는 말.

예 가족들의 흉을 보는 것은 어차피 누워서 침 뱉기이다.

다 된 죽에 코 풀기

거의 다 된 일을 망쳐버리는 주책없는 행동을 이르는 말.

예 과제를 다 했는데 깜빡 잊고 제출을 하지 않아서 다 된 죽에 코 풀기가 되었다.

불난 집에 부채질한다

남의 재앙을 점점 더 커지도록 만들거나 성난 사람을 더욱 성나게 함을 이르는 말.

예 엄마에게 꾸중을 듣고 있는데, 동생이 불난 집에 부채질하는 것처럼 계속 까불어서 더 혼나고 말았다.

심화 어휘 – 주제별 관용어

★ 고개와 관련된 관용어

고개가 수그러지다

존경하는 마음이 일어나다.

예 평생을 봉사하신 그분을 보면 고개가 수그러진다.

고개를 끄덕이다

옳다거나 좋다는 뜻으로 고개를 위아래로 흔들다.

예 이웃을 돕자는 그의 의견에 모두 고개를 끄덕였다.

고개를 돌리다

어떤 사람, 일, 상황 등을 외면하다.

예 도움을 청하는 손길을 뿌리치고 고개를 돌렸다.

고개를 들다

남을 떳떳이 대하다.

예 내 잘못이 밝혀지자 나는 더이상 고개를 들지 못했다.

확인학습

1-3 다음 관용어와 그 뜻풀이를 바르게 선으로 이으세요.

1 고개를 들다 •   • ㉠ 남을 떳떳이 대하다.

2 고개를 끄덕이다 •   • ㉡ 존경하는 마음이 일어나다.

3 고개가 수그러지다 •   • ㉢ 옳다거나 좋다는 뜻으로 고개를 위아래로 흔들다.

4-5 다음 뜻풀이에 알맞은 속담을 [보기]에서 찾아 기호를 쓰세요.

> [보기] ㉠ 누워서 침 뱉기   ㉡ 다 된 죽에 코 풀기   ㉢ 불난 집에 부채질한다

4 거의 다 된 일을 망쳐버리는 주책없는 행동을 이르는 말. (   )

5 남의 재앙을 점점 더 커지도록 만들거나 성난 사람을 더욱 성나게 함을 (   )
이르는 말.

6-7 빈칸에 들어갈 알맞은 낱말을 [보기]에서 찾아 쓰세요.

> [보기]   땀   바느질   부채질   침

6 자신이 원하는 것을 부모님께서 안 들어 주신다고 다른 사람에게 부모님 원망을 해보았
자 '누워서 (   ) 뱉기'이다.

7 불난 집에 (   )하는 것도 아니고, 가뜩이나 장사가 안되는데 찾아와서 자신은 요
즘 장사가 잘되어 너무 바쁘다며 하소연을 하였다.

8 다음 상황에 알맞은 관용어를 골라 ○표를 하세요.

> 주위에 소외되고 아픈 사람들을 돕는 일에 보람을 느끼신다는 그분의 말씀에 저절로
> 고개가 (수그러졌다, 기울어졌다). 그동안 불우한 이웃들의 사정에 고개를 (저었던, 돌
> 렸던) 내 모습이 생각나서, 차마 고개를 (들, 숙일) 수 없었다.

  걸린 시간 ◯ 분   맞은 개수 ◯ 개

교과 어휘 - 한자어

[과학]

모방
模 본뜰 모 | 倣 본받을 방

다른 것을 본뜨거나 본받음.
예 다른 작품을 모방만 하면 실력이 늘지 않는다.

유의어 흉내 남이 하는 말이나 행동을 그대로 옮기는 짓

[국어]

모호하다
模 모호할 모 | 糊 모호할 호

말이나 태도가 흐리터분하여 분명하지 않다.
예 대답이 모호하여 무슨 뜻인지 알 수 없었다.

유의어 애매하다 희미하여 분명하지 아니하다.
어휘 쏙 흐리터분하다 똑똑하지 못하고 흐리다.

[국어]

무수하다
無 없을 무 | 數 셈 수

헤아릴 수 없다.
예 밤하늘에는 무수한 별이 빛나고 있었다.

유의어 수없다 헤아릴 수 없을 만큼 그 수가 많다.

[사회]

무역
貿 바꿀 무 | 易 바꿀 역

지역과 지역 사이에 물건을 사고파는 행위.
예 수출 규제 때문에 무역에 어려움이 있다.

유의어 교역 주로 나라와 나라 사이에서 물건을 사고팔고 하여 서로 바꿈.

[국어]

미간
眉 눈썹 미 | 間 사이 간

두 눈썹의 사이.
예 그녀는 미간을 찡그리며 활짝 웃었다.

[과학]

밀접하다
密 빽빽할 밀 | 接 이을 접

아주 가깝게 맞닿아 있다. 또는 그런 관계에 있다.
예 두 사람은 밀접한 관계를 유지하고 있다.

유의어 가깝다 서로의 사이가 다정하고 친하다.

[국어]

반격
反 돌이킬 반 | 擊 칠 격

되받아 공격함.
예 후반전이 되자 상대팀의 반격이 시작되었다.

어휘 쏙 되받다 도로 받다.

[사회]

반도
半 반 반 | 島 섬 도

삼면이 바다로 둘러싸이고 한 면은 육지에 이어진 땅.
예 우리나라는 만과 반도가 많은 편이다.

1-3 다음 낱말과 그 뜻풀이를 바르게 선으로 이으세요.

1 모방 •   • ㉠ 두 눈썹의 사이.

2 미간 •   • ㉡ 다른 것을 본뜨거나 본받음.

3 반도 •   • ㉢ 삼면이 바다로 둘러싸이고 한 면은 육지에 이어진 땅.

4-6 다음 낱말의 뜻풀이에 알맞은 말을 골라 ○표를 하세요.

4 무역   지역과 지역 사이에 물건을 (보내는, 사고파는) 행위.

5 모호하다   말이나 태도가 흐리터분하여 (부드럽지, 분명하지) 않다.

6 밀접하다   아주 가깝게 (맞닿아, 붙잡고) 있다. 또는 그런 관계에 있다.

7-8 빈칸에 들어갈 알맞은 낱말을 보기 에서 찾아 쓰세요.

> 보기   무역   미간   반격

7 적들은 우리의 공격에 (   )을 준비하였다.

8 그의 얼굴은 넓은 (   )과 길쭉한 코가 특징이었다.

9-10 다음 밑줄 친 낱말과 바꾸어 쓸 수 있는 낱말을 보기 에서 찾아 쓰세요.

> 보기   가깝게   수없이   애매하게

9 그동안 무수하게 본 일이었지만 오늘은 특별했다.   (   )

10 나는 그녀의 질문에 모호하게 대답하며 얼버무렸다.   (   )

걸린 시간   분   맞은 개수   개

교과 어휘 - 고유어

돌이키다

① 원래 향하고 있던 방향에서 반대쪽으로 돌리다.

예 우리는 집으로 향하던 발길을 **돌이켰다**.

② 지난 일을 다시 생각하다.

예 더 이상 과거를 **돌이키고** 싶지 않았다.

유의어 되돌아가다 원래 있던 곳이나 원래 상태로 도로 돌아가다.

두루

빠짐없이 골고루.

예 그는 여러 가지 과일을 **두루** 담았다.

유의어 여러모로 여러 방면으로.

뒤척이다

물건이나 몸을 이리저리 뒤집다.

예 잠이 오지 않아서 밤새 몸을 **뒤척였다**.

또렷하다

엉클어지거나 흐리지 않고 분명하다.

예 글자를 돋보기로 확대하니 **또렷하게** 보였다.

유의어 분명하다 모습이나 소리 등이 흐릿함이 없이 똑똑하고 뚜렷하다.

띄엄띄엄

붙어 있거나 가까이 있지 않고 조금 떨어져 있는 모양.

예 밭에 작물을 **띄엄띄엄** 심어 놓았다.

망설이다

이리저리 생각만 하고 태도를 결정하지 못하다.

예 나는 대답을 **망설이고** 있었다.

유의어 머뭇거리다 말이나 행동을 딱 잘라서 하지 못하고 자꾸 망설이다.

매끄럽다

① 거침없이 저절로 밀리어 나갈 정도로 반드럽다.

예 이불을 만져 보니 아주 **매끄러웠다**.

② 글이나 말에 조리가 있고 거침이 없다.

예 오후 회의가 **매끄럽게** 진행되었다.

유의어 반들반들하다 윤이 날 정도로 아주 매끄럽다.
반의어 껄끄럽다 미끄럽지 못하고 꺼칠꺼칠하다.

매캐하다

연기나 곰팡이 등의 냄새가 약간 맵고 싸하다.

예 나무를 태우는 연기가 **매캐하였다**.

어휘 쏙 싸하다 아리고 매운 듯한 느낌이 있다.

1-3 다음 뜻풀이에 알맞은 낱말을 보기에서 찾아 쓰세요.

보기	돌이키다	뒤척이다	망설이다	매캐하다

1 물건이나 몸을 이리저리 뒤집다. ( )

2 연기나 곰팡이 등의 냄새가 약간 맵고 싸하다. ( )

3 이리저리 생각만 하고 태도를 결정하지 못하다. ( )

4-6 다음 밑줄 친 낱말과 바꾸어 쓸 수 있는 낱말을 찾아 바르게 선으로 이으세요.

4 상자는 매끄러운 종이로 싸여 있었다. •   • ㉠ 머뭇거리는

5 선생님은 또렷한 목소리로 강조하셨다. •   • ㉡ 반들반들한

6 그는 망설이는 기색 없이 바로 결정하였다. •   • ㉢ 분명한

7-8 다음 낱말이 들어갈 문장을 찾아 바르게 선으로 이으세요.

7 두루 •   • ㉠ 가로등이 ( ) 켜져 있어서 거리가 어두웠다.

8 띄엄띄엄 •   • ㉡ 엄마는 시장을 ( ) 돌아다니시면서 물건을 고르셨다.

9-10 밑줄 친 낱말의 뜻으로 알맞은 것의 기호를 쓰세요.

9 그는 매끄러운 문장으로 글을 써 내려갔다. ( )
㉠ 글이나 말에 조리가 있고 거침이 없다.
㉡ 거침없이 저절로 밀리어 나갈 정도로 반드럽다.

10 사진을 보니 돌이키고 싶지 않은 시절이 떠올랐다. ( )
㉠ 지난 일을 다시 생각하다.
㉡ 원래 향하고 있던 방향에서 반대쪽으로 돌리다.

걸린 시간   분   맞은 개수   개

 **심화** 어휘 – 헷갈리기 쉬운 낱말

담담하다
淡 맑을 담 | 淡 맑을 담

차분하고 평온하다.

예 나는 이 상황을 담담하게 받아들였다.

어휘 쏙 평온 조용하고 평안함.

당당하다
堂 집 당 | 堂 집 당

남 앞에 내세울 만큼 모습이나 태도가 떳떳하다.

예 그는 당당한 태도로 자신 있게 행동했다.

덥히다

몸에서 땀이 날 만큼 체온을 높이다.

예 손이 너무 시려서 난로에 손을 덥혔다.

덮이다

① 드러나거나 보이지 않도록 넓은 천 등이 얹혀 씌워지다.

예 탁자는 하얀 식탁보로 덮여 있었다.

② 그릇 같은 것의 아가리가 뚜껑 등으로 막히다.

예 장독대의 항아리 뚜껑이 잘 덮인 것을 확인했다.

도랑

매우 좁고 작은 개울.

예 우리는 도랑에서 작은 물고기들을 잡았다.

두렁

논이나 밭의 가장자리로 작게 쌓은 둑이나 언덕.

예 아버지는 두렁에 콩을 심으셨다.

들르다

지나는 길에 잠깐 들어가 머무르다.

예 집에 가다가 놀이터에 들렀다.

들리다

사람이나 동물의 감각 기관을 통해 소리가 알아차려지다.

예 멀리서 바다 소리가 들리는 것 같았다.

어휘 쏙 감각 기관 동물의 몸에서 바깥의 감각을 받아들여 뇌에 전달하는 기관.

1-3 다음 낱말과 그 뜻풀이를 바르게 선으로 이으세요.

1 담담하다 •   • ㉠ 차분하고 평온하다.

2 들리다 •   • ㉡ 지나는 길에 잠깐 들어가 머무르다.

3 들르다 •   • ㉢ 사람이나 동물의 감각 기관을 통해 소리가 알아차려지다.

4-6 빈칸에 들어갈 알맞은 낱말을 보기 에서 찾아 쓰세요.

> 보기   덥혀   덮여   도랑   두렁

4 친구들과 나는 (   )에서 가재를 잡았다.

5 준비 운동으로 몸을 (   ) 바로 달릴 준비를 하였다.

6 반찬통 뚜껑이 잘 (   ) 있지 않아서 냉장고에서 냄새가 났다.

7-8 다음 문장에 알맞은 낱말을 골라 ○표를 하세요.

7 아빠는 밭의 (도랑, 두렁)에 난 긴 풀을 모두 베고 계셨다.

8 나는 친구의 거짓말에 실망했지만 (담담하게, 당당하게) 받아들였다.

9-10 다음 글에서 잘못된 부분을 찾아 바르게 고쳐 쓰세요.

> 학원 시험을 망치고 집으로 가는 길에 편의점에 들려서 음료수를 샀다. 우연히 만난 학원 선생님께서 내가 풀이 죽어 있는 것을 보시고 시험 결과에 실망하지 말고 담담하게 어깨를 펴고 다니라고 위로해 주셨다.

9 (   ) → (   )

10 (   ) → (   )

걸린 시간   분   맞은 개수   개

교과 어휘 - 한자어

국어

발굴
發 필 발 | 掘 팔 굴

땅속이나 흙, 돌 더미 등에 묻혀 있는 것을 찾아서 파냄.
예 동굴 안의 자원 **발굴**에는 많은 시간이 걸렸다.

사회

발육
發 필 발 | 育 기를 육

생물체가 자라남.
예 **발육**이 왕성한 청소년기에는 잘 먹어야 한다.

유의어 성장 사람이나 동식물 등이 자라서 점점 커짐.

국어

발작
發 필 발 | 作 지을 작

병이나 증상이 갑자기 일어남.
예 약을 먹으니 **발작**이 조금 가라앉았다.

과학

방위
方 모 방 | 位 자리 위

동, 서, 남, 북의 네 방향을 기준으로 하여 나타내는 어느 쪽의 위치.
예 나침반의 **방위**를 맞추었다.

유의어 방향 어떤 곳을 향한 쪽.

과학

배양
培 북돋울 배 | 養 기를 양

① 인격, 역량, 사상 등이 발전하도록 가르치고 키움.
예 학교에서는 학생들의 인격 **배양**에 힘쓴다.
② 인공적인 환경을 만들어 동식물 세포, 미생물 등을 기름.
예 이 약은 미생물 **배양**으로 만들어졌다.

유의어 양성 실력이나 역량을 길러서 발전시킴.
어휘 쏙 역량 어떤 일을 해낼 수 있는 힘.

국어

벌목
伐 칠 벌 | 木 나무 목

산이나 숲의 나무를 벰.
예 여러 번의 **벌목**으로 숲이 황폐해졌다.

국어

병폐
病 병들 병 | 弊 폐단 폐

어떤 사물의 내부에 있는 옳지 못한 경향이나 해로운 요소.
예 그는 우리 사회의 **병폐**가 개인주의라고 말했다.

유의어 폐단 어떤 일이나 행동에서 나타나는 옳지 못한 경향이나 해로운 현상.

사회

보육
保 보전할 보 | 育 기를 육

어린아이들을 돌보아 기름.
예 아이들을 위한 **보육** 시설이 시급하다.

유의어 양육 아이를 보살펴서 자라게 함.

 학인학습

1-3 다음 낱말과 그 뜻풀이를 바르게 선으로 이으세요.

1 발작 •   • ㉠ 산이나 숲의 나무를 벰.

2 방위 •   • ㉡ 병이나 증상이 갑자기 일어남.

3 벌목 •   • ㉢ 동, 서, 남, 북의 네 방향을 기준으로 하여 나타내는 어느 쪽의 위치.

4-6 다음 낱말의 뜻풀이에 알맞은 말을 골라 ○표를 하세요.

4 보육   어린아이들을 (힘주어, 돌보아) 기름.

5 발굴   땅속이나 흙, 돌 더미 등에 묻혀 있는 것을 찾아서 (덮음, 파냄).

6 병폐   어떤 사물의 (외부, 내부)에 있는 옳지 못한 경향이나 해로운 요소.

7-8 빈칸에 들어갈 알맞은 낱말을 보기 에서 찾아 쓰세요.

> 보기   방위   배양   보육

7 아이들의 (   )에 힘써야 할 시대이다.

8 우리는 실험실에서 세균을 (   )하여 관찰하였다.

9-10 다음 밑줄 친 낱말과 바꾸어 쓸 수 있는 낱말을 보기 에서 찾아 쓰세요.

> 보기   성장   양성   폐단

9 이 영양제는 신체의 발육에 좋은 영향을 준다.   (   )

10 기존 제도의 병폐 때문에 많은 사람들이 피해를 입었다.   (   )

걸린 시간   분   맞은 개수   개

 **교과 어휘** – 고유어

국어

멋쩍다

어색하고 쑥스럽다.

예 내 행동이 부끄러워서 멋쩍게 웃었다.

유의어 겸연쩍다 쑥스럽거나 미안하여 어색하다.

국어

몰려들다

여럿이 떼를 지어 들어오다.

예 사람들이 거리로 계속 몰려들었다.

유의어 몰려오다 여럿이 떼를 지어 한쪽으로 밀려오다.

국어

몽땅

있는 대로 죄다.

예 밤나무를 몽땅 털어 밤을 담았다.

유의어 모조리 하나도 빠짐없이 모두.

국어

무릅쓰다

힘들고 어려운 일을 참고 견디다.

예 우리는 위험을 무릅쓰고 그들을 구했다.

유의어 견디다 시련이나 고통을 참아 내다.

과학

뭉뚝하다

굵은 사물의 끝이 아주 짧고 무디다.

예 지민이는 뭉뚝한 코가 마음에 들지 않았다.

어휘 쏙 무디다 칼이나 송곳 등의 끝이나 날이 날카롭지 못하다.

국어

바람직하다

바랄 만한 가치가 있다.

예 자리를 양보하는 것은 바람직한 일이다.

국어

박살

깨어져 산산이 부서짐.

예 창문이 떨어져 박살이 났다.

국어

발긋하다

조금 발갛다.

예 부끄러워서 볼이 발긋하게 달아올랐다.

어휘 쏙 발갛다 밝고 엷게 붉다.

▼ 정답 29쪽

1-3 다음 뜻풀이에 알맞은 낱말을 보기에서 찾아 쓰세요.

보기	멋쩍다	뭉뚝하다	바람직하다	발긋하다

1 조금 발갛다. ( )

2 바랄 만한 가치가 있다. ( )

3 굵은 사물의 끝이 아주 짧고 무디다. ( )

4-6 다음 밑줄 친 낱말과 바꾸어 쓸 수 있는 낱말을 찾아 바르게 선으로 이으세요.

4 나는 실없는 소리를 해서 <u>멋쩍었다</u>. •   • ㉠ 견디고

5 그들은 반대를 <u>무릅쓰고</u> 결정을 내렸다. •   • ㉡ 겸연쩍었다

6 소문을 듣고 아이들이 가게로 <u>몰려들었다</u>. •   • ㉢ 몰려왔다

7-8 다음 낱말이 들어갈 문장을 찾아 바르게 선으로 이으세요.

7 몽땅 •   • ㉠ 화분이 떨어져서 (   )이 났다.

8 박살 •   • ㉡ 집에 있던 컵들이 (   ) 없어졌다.

9-10 다음 문장에 알맞은 낱말을 골라 ○표를 하세요.

9 연필을 많이 썼더니 끝이 (무뚝뚝하게, 뭉뚝하게) 닳았다.

10 긍정적으로 사는 것이 항상 (모름직한, 바람직한) 것은 아니다.

걸린 시간   분   맞은 개수   개

 심화 어휘 - 주제별 한자 성어

★ 끊임없는 노력

분골쇄신
粉 가루 분 | 骨 뼈 골 | 碎 부술 쇄 | 身 몸 신

뼈를 가루로 만들고 몸을 부순다는 뜻으로, 정성으로 노력함을 이르는 말.
예 환자를 위해 **분골쇄신**한 의사들이 상을 받았다.

불철주야
不 아닐 불 | 撤 거둘 철 | 晝 낮 주 | 夜 밤 야

어떤 일에 몰두하여 조금도 쉴 사이 없이 밤낮을 가리지 아니함.
예 새로운 백신을 만들기 위해 연구원들은 **불철주야** 노력하였다.

절차탁마
切 끊을 절 | 磋 갈 차 | 琢 쪼을 탁 | 磨 갈 마

옥이나 돌 등을 갈고 닦아서 빛을 낸다는 뜻으로, 부지런히 학문과 덕행을 닦음을 이르는 말.
예 그는 산속에 들어가 **절차탁마**하며 몸과 마음을 수련하였다.

주마가편
走 달릴 주 | 馬 말 마 | 加 더할 가 | 鞭 채찍 편

달리는 말에 채찍질한다는 뜻으로, 잘하는 사람을 더욱 장려함을 이르는 말.
예 감독님은 선수들이 경기에 더 집중하도록 **주마가편**하듯 격려하셨다.

형설지공
螢 개똥벌레 형 | 雪 눈 설 | 之 갈 지 | 功 공 공

반딧불·눈과 함께 하는 노력이라는 뜻으로, 고생을 하면서 부지런하고 꾸준하게 공부하는 자세를 이르는 말.
예 그는 **형설지공**으로 열심히 공부하여 좋은 성적을 얻었다.

★ 학문의 어려움

망양지탄
亡 망할 망 | 羊 양 양 | 之 갈 지 | 歎 탄식할 탄

갈림길이 매우 많아 잃어버린 양을 찾을 길이 없음을 탄식한다는 뜻으로, 학문의 길이 여러 갈래여서 진리를 찾기가 어려움을 이르는 말.
예 나중에 **망양지탄**하지 않도록 더욱 열심히 연구해야 한다.

맹모단기
孟 맹자 맹 | 母 어머니 모 | 斷 끊을 단 | 機 틀 기

맹자가 학업을 중단하고 돌아왔을 때, 어머니가 짜던 베를 잘라서 학문을 중도에 그만둔 것을 훈계한 일을 이르는 말.
예 **맹모단기**에서 보듯, 학문을 중도에 그만 두면 쓸모가 없다.

[1-3] 다음 한자 성어와 그 뜻풀이를 바르게 선으로 이으세요.

1   망양지탄   •   • ㉠ 어떤 일에 몰두하여 조금도 쉴 사이 없이 밤낮을 가리지 아니함.

2   불철주야   •   • ㉡ 학문의 길이 여러 갈래여서 진리를 찾기가 어려움을 이르는 말.

3   주마가편   •   • ㉢ 달리는 말에 채찍질한다는 뜻으로, 잘하는 사람을 더욱 장려함을 이르는 말.

[4-5] 다음 한자 성어의 뜻풀이에 알맞은 말을 골라 ○표를 하세요.

4   분골쇄신   (뼈, 피)를 가루로 만들고 몸을 부순다는 뜻으로, 정성으로 노력함을 이르는 말.

5   형설지공   반딧불·눈과 함께 하는 노력이라는 뜻으로, (고생, 성공)을 하면서 부지런하고 꾸준하게 공부하는 자세를 이르는 말.

[6-8] 빈칸에 들어갈 알맞은 한자 성어를 보기 에서 찾아 쓰세요.

보기	맹모단기 절차탁마 주마가편 형설지공

6   선생님은 우리들이 더 잘할 수 있도록 (   )하셨다.

7   그는 (   )의 자세로 스스로의 몸과 마음을 갈고 닦았다.

8   자식을 단호하게 가르치시는 어머니의 모습이 (   )을/를 떠올리게 했다.

9   **다음 밑줄 친 상황을 표현하기에 알맞은 한자 성어는 무엇인가요?**

스승님은 밤낮없이 학문 연구에 매진하고 계시지만, 아직도 옛사람들이 깨달았던 참된 진리의 길은 멀고 험하다며 탄식하셨다.

① 망양지탄   ② 맹모단기   ③ 분골쇄신   ④ 불철주야   ⑤ 절차탁마

걸린 시간   분   맞은 개수   개

 **교과 어휘** – 한자어

국어

보온
保 보전할 보 | 溫 따뜻할 온

주위의 온도에 관계없이 일정한 온도를 유지함.
예 추운 날에는 보온에 신경 써야 한다.

국어

보행
步 걸음 보 | 行 다닐 행

걸어 다님.
예 길에 눈이 쌓여 있어서 보행이 어려웠다.

유의어 도보 탈것을 타지 않고 걸어감.

국어

부강
富 부유할 부 | 強 강할 강

부유하고 강함.
예 국민들은 국가의 부강을 위해 노력했다.

국어

부여
附 붙을 부 | 與 줄 여

가지거나 지니게 하여 줌.
예 목표를 이루려면 동기 부여가 필요하다.

과학

분비
分 나눌 분 | 泌 분비할 비

세포가 침이나 소화액, 호르몬 등을 세포 밖으로 배출함.
예 사춘기에는 호르몬 분비가 많이 일어난다.

어휘 쏙 배출 안에서 밖으로 밀어 내보냄.

국어

분주
奔 달릴 분 | 走 달릴 주

몹시 바쁘게 뛰어다님.
예 그는 일찍 출근하느라 분주를 떨었다.

유의어 분망 매우 바쁨.

과학

분해
分 나눌 분 | 解 풀 해

여러 부분이 결합되어 이루어진 것을 그 낱낱으로 나눔.
예 나는 장난감 비행기의 분해 방법을 배웠다.

반의어 결합 둘 이상의 사물이나 사람이 서로 관계를 맺어 하나가 됨.

사회

불순
不 아닐 불 | 純 순수할 순

① 물질 등이 순수하지 아니함.
예 이 금덩어리에는 불순 성분이 섞여 있다.
② 딴 속셈이 있어 참되지 못함.
예 불순한 생각으로 들어온 것을 들켰다.

반의어 순수 ① 전혀 다른 것의 섞임이 없음. ② 사사로운 욕심이나 못된 생각이 없음.

1-3 다음 낱말과 그 뜻풀이를 바르게 선으로 이으세요.

1 보온 •   • ㉠ 몹시 바쁘게 뛰어다님.

2 부여 •   • ㉡ 가지거나 지니게 하여 줌.

3 분주 •   • ㉢ 주위의 온도에 관계없이 일정한 온도를 유지함.

4-6 다음 낱말의 뜻풀이에 알맞은 말을 골라 ○표를 하세요.

4 부강 부유하고 (강함, 순함).

5 분비 세포가 (침, 독)이나 소화액, 호르몬 등을 세포 밖으로 배출함.

6 분해 여러 부분이 (결합, 화합)되어 이루어진 것을 그 낱낱으로 나눔.

7-9 빈칸에 들어갈 알맞은 낱말을 보기 에서 찾아 쓰세요.

보기	보온	보행	분주	불순

7 그는 (   )한 의도로 우리에게 접근했다.

8 우리는 행사를 준비하느라 (   )히 움직였다.

9 도시락을 쌌는데 (   )이/가 되지 않아서 밥이 차가웠다.

10 다음 중 짝 지어진 낱말의 관계가 나머지와 <u>다른</u> 것의 기호를 쓰세요.

㉠ 보행 – 도보	㉡ 분해 – 결합	㉢ 불순 – 순수

 걸린 시간   분   맞은 개수   개

교과 어휘 – 다의어

더듬다

① 잘 보이지 않는 것을 손으로 이리저리 만져 보며 찾다.

예 침대 밑을 더듬어 연필을 찾았다.

② 어렴풋한 생각이나 기억을 마음으로 짐작하여 헤아리다.

예 기억을 더듬어 보니 그의 얼굴이 떠올랐다.

③ 말을 하거나 글을 읽을 때 순조롭게 나오지 않고 자꾸 막히다.

예 나는 너무 긴장해서 말을 더듬었다.

막다

① 길, 통로 등이 통하지 못하게 하다.

예 그는 의자로 복도를 막아 놓았다.

② 어떤 일이나 행동을 못하게 하다.

예 나는 동생이 불장난하는 것을 막았다.

③ 외부의 공격이나 침입 등에 버티어 지키다.

예 이번 공격을 막으면 우리가 승리할 수 있다.

교과 어휘 – 동음이의어

대접¹

위가 넓적하고 높이가 낮은 그릇.

예 엄마는 큰 대접에 국수를 담아 주셨다.

대접²

待 기다릴 대 | 接 접할 접

① 마땅한 예로써 대함.

예 한 살 차이인데도 형님 대접을 받았다.

② 음식을 차려 접대함.

예 우리 집에 오신 손님께는 식사 대접을 잘 해 드린다.

말다¹

어떤 일이나 행동을 하지 않거나 그만두다.

예 그는 밥을 먹다가 말고 전화를 받았다.

말다²

넓적한 물건을 돌돌 감아 원통형으로 겹치게 하다.

예 수건을 말아서 선반 위에 올려놓았다.

▶ 정답 30쪽

1-2 밑줄 친 낱말의 뜻으로 알맞은 것의 기호를 쓰세요.

1 발표를 할 때마다 나도 모르게 말을 더듬었다. ( )

㉠ 어렴풋한 생각이나 기억을 마음으로 짐작하여 헤아리다.
㉡ 말을 하거나 글을 읽을 때 순조롭게 나오지 않고 자꾸 막히다.

2 미술 시간에 그린 그림을 돌돌 말아서 가방 안에 넣었다. ( )

㉠ 어떤 일이나 행동을 하지 않거나 그만두다.
㉡ 넓적한 물건을 돌돌 감아 원통형으로 겹치게 하다.

3-5 다음 밑줄 친 낱말의 뜻풀이를 찾아 바르게 선으로 이으세요.

3 돌을 쌓아 구멍을 막았다. •　　　• ㉠ 어떤 일이나 행동을 못하게 하다.

4 적들의 침입을 막아야 한다. •　　　• ㉡ 길, 통로 등이 통하지 못하게 하다.

5 친구가 가는 것을 막지 못했다. •　　　• ㉢ 외부의 공격이나 침입 등에 버티어 지키다.

6-8 빈칸에 들어갈 알맞은 낱말을 보기 에서 찾아 쓰세요.

보기	더듬고　　　막고　　　말고

6 우리는 끝까지 그들이 말을 못하게 (　　　) 있었다.

7 나는 그녀의 얼굴을 떠올리며 기억을 (　　　) 있었다.

8 자극적인 음식을 먹지 (　　　) 규칙적인 생활을 해야 한다.

9-10 다음 뜻풀이에 알맞은 낱말을 보기 에서 찾아 기호를 쓰세요.

보기 형: 이렇게 큰 ㉠대접에 밥을 가득 주면 어떡해?
동생: 왜? 형은 나보다 크니까 내가 형님 ㉡대접을 해 주는 거야.

9 마땅한 예로써 대함. ( )

10 위가 넓적하고 높이가 낮은 그릇. ( )

걸린 시간　　　　분　　　　맞은 개수　　　　개

심화 어휘 - 주제별 속담

★ 실천의 중요성

구슬이 서 말이어도 꿰어야 보배	아무리 훌륭하고 좋은 것이라도 다듬고 정리하여 쓸모 있게 만들어 놓아야 값어치가 있음을 이르는 말. 예 구슬이 서 말이어도 꿰어야 보배라고, 그 좋은 재주를 가지고 집에서 놀고만 있으니 안타까운 일이다.

부뚜막의 소금도 집어넣어야 짜다	가까운 부뚜막에 있는 소금도 넣지 아니하면 음식이 짠맛이 날 수 없다는 뜻으로, 아무리 손쉬운 일이라도 힘을 들이어 하지 아니하면 안 됨을 이르는 말. 예 부뚜막의 소금도 집어넣어야 짜듯이, 말만 해서는 소용이 없고 실천을 해야 한다.

천 리 길도 한 걸음부터	무슨 일이나 그 일의 시작이 중요하다는 말. 예 천 리 길도 한 걸음부터라고, 오늘 운동을 시작한 것만으로도 정말 대견하다.

심화 어휘 - 주제별 관용어

★ 꼬리와 관련된 관용어

꼬리를 감추다	자취를 감추다. 예 도둑은 이미 꼬리를 감추고 달아나 버렸다.
꼬리를 내리다	상대편에게 기세가 꺾여 물러서거나 움츠러들다. 예 그는 잘못이 들통 나니까 꼬리를 내리고 아무 말도 못 했다.
꼬리를 물다	계속 이어지다. 예 그의 선행에 관한 이야기가 꼬리를 물고 흘러나왔다.
꼬리를 밟히다	행적을 들키다. 예 나는 마음을 놓고 있다가 친구에게 꼬리를 밟혔다.

1-3 다음 관용어와 그 뜻풀이를 바르게 선으로 이으세요.

1 꼬리를 감추다 •

• ㉠ 행적을 들키다.

2 꼬리를 내리다 •

• ㉡ 자취를 감추다.

3 꼬리를 밟히다 •

• ㉢ 상대편에게 기세가 꺾여 물러서거나 움츠러들다.

4-5 다음 뜻풀이에 알맞은 속담을 **보기** 에서 찾아 기호를 쓰세요.

> **보기** ㉠ 천 리 길도 한 걸음부터
> ㉡ 구슬이 서 말이어도 꿰어야 보배
> ㉢ 부뚜막의 소금도 집어넣어야 짜다

4 무슨 일이나 그 일의 시작이 중요하다는 말.   (   )

5 아무리 훌륭하고 좋은 것이라도 다듬고 정리하여 쓸모 있게 만들어 놓아   (   )
야 값어치가 있음을 이르는 말.

6-7 빈칸에 들어갈 알맞은 낱말을 **보기** 에서 찾아 쓰세요.

> **보기**   곡식   구슬   땅   소금   콩

6 부뚜막의 (   )도 집어넣어야 짜다고 하듯이, 무슨 일이든 알고만 있는 것은 쓸모
가 없고 행동으로 옮겨야 한다.

7 (   )이 서 말이어도 꿰어야 보배라고 하듯이, 책이 아무리 많아도 읽어서 자신의
지식으로 만들지 않으면 소용이 없다.

8 다음 상황에 알맞은 관용어를 골라 ○표를 하세요.

> 점점 그에 대한 안 좋은 소문이 꼬리를 (물자, 돌자), 그는 꼬리를 (들고, 감추고) 사라
> 져 버렸다. 그렇지만 그에게 피해를 입은 사람들이 계속 찾아 나선 끝에 그는 결국 꼬리
> 를 (밟히고, 살리고) 말았다.

  걸린 시간 (   ) 분   맞은 개수 (   ) 개

공부한 날 ◯ 월 ◯ 일

 교과 어휘 – 한자어

국어

비옥
肥 살찔 비 | 沃 기름질 옥

땅이 걸고 기름짐.
⟨예⟩ 이 고장은 땅이 **비옥**하기로 유명하다.

⟨유의어⟩ 기름지다 땅이 매우 걸다.

사회

빈곤
貧 가난할 빈 | 困 곤할 곤

① 가난하여 살기가 어려움.
⟨예⟩ 아직도 많은 사람들이 **빈곤**에 시달린다.
② 내용이 충실하지 못하거나 모자라서 텅 빔.
⟨예⟩ 그 연구는 자료의 **빈곤**으로 어려움을 겪었다.

⟨유의어⟩ 곤궁 가난하여 살림이 구차함.

국어

사명
使 부릴 사 | 命 목숨 명

맡겨진 임무.
⟨예⟩ 우리의 **사명**을 다하기 위해 최선을 다했다.

⟨어휘 쏙⟩ 임무 맡은 일. 또는 맡겨진 일.

사회

산지
産 낳을 산 | 地 땅 지

생산되어 나오는 곳.
⟨예⟩ 음식점 알림판에 쌀의 **산지**가 표시되어 있었다.

⟨유의어⟩ 생산지 어떤 물품을 만들어 내는 곳.

국어

살포
撒 뿌릴 살 | 布 베 포

액체, 가루 등을 흩어 뿌림.
⟨예⟩ 과수원에 농약 **살포**를 시작하였다.

국어

생성
生 날 생 | 成 이룰 성

사물이 생겨남. 또는 사물이 생겨 이루어지게 함.
⟨예⟩ 그 물질은 새로운 세포 **생성**을 돕고 있었다.

⟨유의어⟩ 발생 어떤 일이나 사물이 생겨남.
⟨반의어⟩ 소멸 사라져 없어짐.

과학

서식
棲 깃들일 서 | 息 숨쉴 식

생물 등이 일정한 곳에 자리를 잡고 삶.
⟨예⟩ 우리는 사슴의 **서식** 환경을 조사하였다.

국어

선진
先 먼저 선 | 進 나아갈 진

발전이나 진보의 정도가 다른 것보다 앞섬.
⟨예⟩ **선진** 기술이 들어오면서 발전이 이루어졌다.

⟨반의어⟩ 후진 어떤 발전 수준에 뒤지거나 뒤떨어짐.
⟨어휘 쏙⟩ 진보 정도나 수준이 나아지거나 높아짐.

1-3 다음 뜻풀이에 알맞은 낱말을 보기에서 찾아 쓰세요.

> 보기   비옥   살포   생성   서식

1 땅이 걸고 기름짐.   (   )

2 액체, 가루 등을 흩어 뿌림.   (   )

3 생물 등이 일정한 곳에 자리를 잡고 삶.   (   )

4-6 다음 밑줄 친 낱말과 바꾸어 쓸 수 있는 낱말을 찾아 바르게 선으로 이으세요.

4 우리는 곰팡이의 생성을 실험하였다.   •   • ㉠ 곤궁

5 식품의 산지를 확인하는 것은 중요하다. •   • ㉡ 발생

6 그들은 계속 빈곤한 생활을 하고 있었다. •   • ㉢ 생산지

7-9 다음 낱말이 들어갈 문장을 찾아 바르게 선으로 이으세요.

7 빈곤 •   • ㉠ 철새들은 떼를 지어 (   )한다.

8 사명 •   • ㉡ 그는 중요한 (   )을 가지고 있었다.

9 서식 •   • ㉢ 화제가 (   )해서 이야기가 계속 끊어졌다.

10 보기의 밑줄 친 낱말과 뜻이 반대인 낱말은 무엇인가요?

> 보기   우리는 선진 국가를 이루기 위해 노력하고 있다.

① 발전   ② 전진   ③ 진보   ④ 현대   ⑤ 후진

걸린 시간   분   맞은 개수   개

 **교과 어휘** – 고유어

변변하다
① 됨됨이나 생김새 등이 흠이 없고 어지간하다.
예) 그는 인물이 변변하게 생긴 편이었다.
② 제대로 갖추어져 충분하다.
예) 친구는 아직 변변한 직업이 없다고 하였다.

유의어) 어지간하다 수준이 보통에 가깝거나 그보다 약간 더하다.

보듬다
사람이나 동물을 가슴에 붙도록 안다.
예) 엄마가 갓난아기를 보듬어 안았다.

보살피다
정성을 기울여 보호하며 돕다.
예) 그는 동물들을 자식처럼 보살펴 주었다.

유의어) 돌보다 관심을 가지고 보살피다.

부르짖다
격한 감정을 억누르지 못하여 소리 높여 크게 떠들다.
예) 나는 한 번만 기회를 달라고 부르짖었다.

유의어) 소리치다 소리를 크게 지르다.

불거지다
물체의 겉으로 둥글게 툭 비어져 나오다.
예) 주머니 밖으로 휴대폰이 불거져 나왔다.

유의어) 튀어나오다 겉으로 툭 비어져 나오다.

빈정대다
남을 은근히 비웃는 태도로 자꾸 놀리다.
예) 그는 내 걱정이 쓸데없다며 계속 빈정댔다.

유의어) 야유하다 남을 빈정거려 놀리다.

뻑뻑하다
① 물기가 적어서 부드러운 맛이 없다.
예) 밥이 너무 뻑뻑해서 먹기 어려웠다.
② 꽉 끼거나 맞아서 헐겁지 아니하다.
예) 손잡이가 뻑뻑해서 잘 돌아가지 않았다.

뾰로통하다
못마땅하여 얼굴에 성난 빛이 나타나 있다.
예) 그녀는 내 말에 뾰로통해서 입을 다물었다.

1-3 다음 낱말과 그 뜻풀이를 바르게 선으로 이으세요.

1 보듬다 • • ㉠ 정성을 기울여 보호하며 돕다.

2 보살피다 • • ㉡ 사람이나 동물을 가슴에 붙도록 안다.

3 불거지다 • • ㉢ 물체의 겉으로 둥글게 툭 비어져 나오다.

4-6 다음 낱말의 뜻풀이에 알맞은 말을 골라 ○표를 하세요.

4 뾰로통하다 못마땅하여 얼굴에 (성난, 슬픈) 빛이 나타나 있다.

5 빈정대다 남을 은근히 (비웃는, 앞서는) 태도로 자꾸 놀리다.

6 부르짖다 (기쁜, 격한) 감정을 억누르지 못하여 소리 높여 크게 떠들다.

7-8 빈칸에 들어갈 알맞은 낱말을 보기 에서 찾아 쓰세요.

보기 변변한 뻑뻑한 뾰로통한

7 눈이 건조하고 (   ) 느낌이 들었다.

8 그는 아직 (   ) 집도 마련하지 못하였다.

9-10 다음 밑줄 친 낱말과 바꾸어 쓸 수 있는 낱말을 보기 에서 찾아 쓰세요.

보기 돌보고 소리치고 야유하고

9 우리는 살려 달라고 큰 소리로 <u>부르짖고</u> 있었다. (   )

10 나는 엄마를 대신해서 동생들을 열심히 <u>보살피고</u> 있었다. (   )

걸린 시간   분   맞은 개수   개

심화 어휘 – 헷갈리기 쉬운 낱말

마중
오는 사람을 나가서 맞이함.
예 비가 내려서 우산을 들고 아빠를 **마중** 나갔다.

배웅
떠나가는 손님을 일정한 곳까지 따라 나가서 작별하여 보내는 일.
예 공항에서 부모님 **배웅**을 해 드렸다.

바라다
어떤 일이나 상태가 이루어지거나 그렇게 되었으면 하고 생각하다.
예 우리는 가족들이 모두 건강하기를 **바라고** 있었다.

바래다
볕이나 습기를 받아 색이 변하다.
예 페인트를 칠한 벽이 오래되어 색이 **바랬다**.

받다
다른 사람이 주거나 보내오는 물건 등을 가지다.
예 오랜만에 친구에게서 편지를 **받았다**.

밭다
시간이나 공간이 다붙어 몹시 가깝다.
예 학원의 책상 사이가 너무 **밭아서** 불편했다.

받히다
세게 밀어 부딪침을 당하다.
예 길을 건너다가 자동차에 **받힐** 뻔하였다.

밭치다
구멍이 뚫린 물건 위에 국수나 야채 등을 올려 물기를 빼다.
예 채소를 씻어서 물기가 빠지도록 채반에 **밭쳐** 놓았다.

1-3 다음 낱말과 그 뜻풀이를 바르게 선으로 이으세요.

1 받다 •   • ㉠ 세게 밀어 부딪침을 당하다.

2 밭다 •   • ㉡ 시간이나 공간이 다붙어 몹시 가깝다.

3 받히다 •   • ㉢ 다른 사람이 주거나 보내오는 물건 등을 가지다.

4-6 빈칸에 들어갈 알맞은 낱말을 보기 에서 찾아 쓰세요.

> 보기   마중   바라   바래   배웅

4 엄마는 학교를 가는 우리들을 날마다 (   )하셨다.

5 사진첩을 펼쳐 보니 사진의 색이 많이 (   ) 있었다.

6 우리 집에 오는 친구 (   )을 가다가 다른 친구를 만났다.

7-8 다음 문장에 알맞은 낱말을 골라 ○표를 하세요.

7 나는 날씨가 빨리 따뜻해지기를 (바랐다, 바랬다).

8 이모는 국수를 채반에 (받히고, 밭치고) 양념장을 준비하셨다.

9-10 다음 글에서 잘못된 부분을 찾아 바르게 고쳐 쓰세요.

> 오후 수업이 끝나고 나니, 친구와 만나기로 한 약속 시간이 너무 받아서 약속에 늦을 것 같았다. 나는 급하게 뛰어 나가다가 내 쪽으로 오던 자전거를 보지 못하고 하마터면 밭칠 뻔하였다.

9 (   ) → (   )

10 (   ) → (   )

걸린 시간   분   맞은 개수   개

 교과 어휘 - 한자어

국어
선호하다
選 가릴 선 | 好 좋을 호

여럿 가운데서 특별히 가려서 좋아하다.
예 학생들은 놀이공원에 가는 것을 **선호**하였다.

국어
섭리
攝 다스릴 섭 | 理 다스릴 리

자연계를 지배하고 있는 원리와 법칙.
예 봄에 새싹이 나는 것은 자연의 **섭리**이다.

유의어 이치 사물의 정당하고 당연한 조리.

국어
성스럽다
聖 성인 성

함부로 가까이할 수 없을 만큼 고결하다.
예 벽화에서 **성스러운** 느낌이 들었다.

어휘 쏙 고결하다 성품이 고상하고 순결하다.

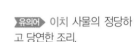

사회
세밀하다
細 가늘 세 | 密 빽빽할 밀

자세하고 꼼꼼하다.
예 지도가 **세밀**하게 그려져 있어서 쉽게 길을 찾았다.

유의어 치밀하다 자세하고 꼼꼼하다.

과학
세포
細 가늘 세 | 胞 세포 포

생물체를 이루는 기본 단위.
예 현미경으로 **세포**의 구조를 관찰했다.

사회
수요
需 구할 수 | 要 중요할 요

어떤 재화를 일정한 가격으로 사려고 하는 욕구.
예 전자 상거래로 상품을 구매하는 **수요**가 늘어났다.

반의어 공급 요구나 필요에 따라 물품 등을 제공함.
어휘 쏙 재화 사람이 바라는 것을 충족시켜 주는 모든 물건

국어
수칙
守 지킬 수 | 則 법칙

어떤 일이나 행위와 관련하여 지켜야 할 사항을 정한 규칙.
예 우리는 물놀이 안전 **수칙**을 철저히 지켰다.

국어
시야
視 볼 시 | 野 들 야

① 시력이 미치는 범위.
예 앞자리에 앉은 사람이 내 **시야**를 가렸다.
② 사물을 관찰하고 분석하는 눈.
예 여러 나라를 여행하면서 세계로 **시야**가 넓어졌다.

유의어 식견 학식과 견문이라는 뜻으로, 사물을 분별할 수 있는 능력을 이르는 말.

1-3 다음 낱말과 그 뜻풀이를 바르게 선으로 이으세요.

1 선호하다 •
2 성스럽다 •
3 세밀하다 •

• ㉠ 자세하고 꼼꼼하다.
• ㉡ 여럿 가운데서 특별히 가려서 좋아하다.
• ㉢ 함부로 가까이할 수 없을 만큼 고결하다.

4-6 다음 낱말의 뜻풀이에 알맞은 말을 골라 ○표를 하세요.

4 세포 생물체를 이루는 (최종, 기본) 단위.

5 섭리 자연계를 (통과, 지배)하고 있는 원리와 법칙.

6 수칙 어떤 일이나 행위와 관련하여 (지켜야, 잡아야) 할 사항을 정한 규칙.

7-8 빈칸에 들어갈 알맞은 낱말을 보기 에서 찾아 쓰세요.

보기   세포   수요   시야

7 우리 몸의 (   )는 끊임없이 죽고 새로 생긴다.

8 가전 제품의 (   )가 줄어들어서 점점 팔리지 않고 있다.

9-10 다음 밑줄 친 낱말과 바꾸어 쓸 수 있는 낱말을 보기 에서 찾아 쓰세요.

보기   식견   이치   포부

9 나는 좁았던 시야를 넓히기 위해 많은 경험을 하였다.   (   )

10 한 시절이 사라지는 것도 세상의 섭리라고 받아들였다.   (   )

걸린 시간   분   맞은 개수   개

 교과 어휘 – 고유어

국어

뿌듯하다

기쁨이나 감격이 마음에 가득 차서 벅차다.

예 이웃을 위해 봉사했더니 마음이 **뿌듯**하였다.

국어

뿌리박다

어떤 것을 토대로 하여 깊이 자리를 잡다.

예 부모님은 평생 고향에 **뿌리박고** 사셨다.

유의어 고착하다 어떤 상황이나 현상이 굳어져 변하지 아니하다.

국어

사뭇

① 내내 끝까지.

예 방금까지 **사뭇** 조용했던 동생이 시끄러워졌다.

② 아주 딴판으로.

예 동생은 나와는 **사뭇** 다르게 생겼다.

유의어 마냥 언제까지나 줄곧.

국어

살그머니

남이 알아차리지 못하게 살며시.

예 우리는 **살그머니** 풀밭으로 다가갔다.

유의어 살며시 남의 눈에 띄지 않게 가만히.

과학

생생하다

① 힘이나 기운이 왕성하다.

예 과수원의 과일들이 **생생하게** 살아났다.

② 바로 눈앞에 보는 것처럼 분명하고 또렷하다.

예 수십 년 전의 기억이지만 아직도 **생생하**였다.

유의어 싱싱하다 시들거나 상하지 아니하고 생기가 있다.
반의어 희미하다 분명하지 못하고 어렴풋하다.

국어

선뜻

기분이나 느낌이 깨끗하고 시원한 모양.

예 그녀는 **선뜻** 나를 만나러 나왔다.

국어

설치다

마구 날뛰다.

예 우리는 신이 나서 **설치고** 다녔다.

유의어 날뛰다 함부로 덤비거나 거칠게 행동하다.

국어

섬뜩하다

갑자기 소름이 끼치도록 무섭고 끔찍하다.

예 범인의 눈빛이 **섬뜩**했다.

유의어 두렵다 어떤 대상을 무서워하여 마음이 불안하다.

확인 학습 ○━━━━━━━━━━━━

1-3 다음 뜻풀이에 알맞은 낱말을 보기 에서 찾아 쓰세요.

보기	뿌듯하다 　뿌리박다 　생생하다 　섬뜩하다

1 어떤 것을 토대로 하여 깊이 자리를 잡다. 　　　(　　　)

2 갑자기 소름이 끼치도록 무섭고 끔찍하다. 　　　(　　　)

3 기쁨이나 감격이 마음에 가득 차서 벅차다. 　　　(　　　)

4-6 다음 밑줄 친 낱말과 바꾸어 쓸 수 있는 낱말을 찾아 바르게 선으로 이으세요.

4 그의 젊고 <u>생생한</u> 기운이 느껴졌다. 　• 　　　　• ㉠ 　날뛰는

5 벽장 안은 왠지 <u>섬뜩한</u> 느낌이 돌았다. 　• 　　　　• ㉡ 　두려운

6 그가 재능을 자랑하며 <u>설치는</u> 것이 싫었다. • 　　　　• ㉢ 　싱싱한

7-9 다음 낱말이 들어갈 문장을 찾아 바르게 선으로 이으세요.

7 　사뭇 　• 　　　　• ㉠ 우리는 (　　　) 자리에 앉았다.

8 　살그머니 　• 　　　　• ㉡ 잘 차려입은 그가 (　　　) 다르게 보였다.

9 　선뜻 　• 　　　　• ㉢ 그는 큰돈을 망설임 없이 (　　　) 내놓았다.

10 보기 의 밑줄 친 낱말과 뜻이 <u>반대</u>인 낱말은 무엇인가요?

보기	나는 영화를 보면서 아주 <u>생생한</u> 감동을 느꼈다.

① 두려운 　　② 뿌듯한 　　③ 섬뜩한 　　④ 신선한 　　⑤ 희미한

걸린 시간	분	맞은 개수	개

심화 어휘 - 주제별 한자 성어

★ 걱정과 불안

노심초사
勞 수고로울 노 | 心 마음 심 | 焦 그을릴 초 | 思 생각 사

몹시 마음을 쓰며 애를 태움.
예 어머니는 아들을 걱정하며 **노심초사**하셨다.

식자우환
識 알 식 | 字 글자 자 | 憂 근심 우 | 患 근심 환

학식이 있는 것이 오히려 근심을 사게 됨.
예 **식자우환**이라더니 온갖 병에 대한 정보들을 많이 들어서 더 걱정이 되었다.
어휘 쏙 학식 배워서 얻은 지식.

전전긍긍
戰 싸울 전 | 戰 싸울 전 | 兢 조심할 긍 | 兢 조심할 긍

몹시 두려워서 벌벌 떨며 조심함.
예 그는 자신의 잘못을 들킬까 봐 날마다 **전전긍긍**하였다.

전전반측
輾 구를 전 | 轉 구를 전 | 反 돌이킬 반 | 側 곁 측

누워서 몸을 이리저리 뒤척이며 잠을 이루지 못함.
예 나는 다음 날을 걱정하느라 밤새 **전전반측**하였다.

좌불안석
坐 앉을 좌 | 不 아닐 불 | 安 편안할 안 | 席 자리 석

앉아도 자리가 편안하지 않다는 뜻으로, 마음이 걱정스러워서 가만히 앉아 있지 못하고 안절부절못하는 모양을 이르는 말.
예 엄마가 화나신 것을 보고 동생과 나는 계속 **좌불안석**이었다.

★ 올바른 삶의 자세

독야청청
獨 홀로 독 | 也 어조사 야 | 靑 푸를 청 | 靑 푸를 청

남들이 모두 절개를 꺾는 상황 속에서도 홀로 절개를 굳세게 지키고 있음을 이르는 말.
예 다들 떠났지만 그분은 **독야청청**하게 마을을 지키셨다.
어휘 쏙 절개 신념을 굽히지 아니하고 굳게 지키는 꿋꿋한 태도.

솔선수범
率 거느릴 솔 | 先 먼저 선 | 垂 드리울 수 | 範 법 범

남보다 앞장서서 행동해서 몸소 다른 사람의 본보기가 됨.
예 부모가 먼저 **솔선수범**을 보여야 아이들이 따를 수 있다.

확인학습

1-3 다음 한자 성어와 그 뜻풀이를 바르게 선으로 이으세요.

1　솔선수범　•

2　식자우환　•

3　전전긍긍　•

• ㉠ 몹시 두려워서 벌벌 떨며 조심함.

• ㉡ 학식이 있는 것이 오히려 근심을 사게 됨.

• ㉢ 남보다 앞장서서 행동해서 몸소 다른 사람의 본보기가 됨.

4-5 다음 한자 성어의 뜻풀이에 알맞은 말을 골라 ○표를 하세요.

4　노심초사　몹시 (마음, 힘)을 쓰며 애를 태움.

5　전전반측　(서서, 누워서) 몸을 이리저리 뒤척이며 잠을 이루지 못함.

6-8 빈칸에 들어갈 알맞은 한자 성어를 보기 에서 찾아 쓰세요.

보기　　　　　독야청청　　　솔선수범　　　식자우환　　　전전긍긍

6　그들은 날마다 정체를 감추느라 (　　　　　)하였다.

7　아빠는 모든 일에 (　　　　　)하시며 바르게 사셨다.

8　그는 자신의 의지를 굳게 지키며 (　　　　　)하게 살았다.

9　다음 밑줄 친 상황을 표현하기에 알맞은 한자 성어는 무엇인가요?

축구 시합 때 실수를 하고 나니 면목이 없었다. 점심시간에 밥도 편히 먹지 못하고 다른 친구들의 눈치를 살피며 걱정만 하였다.

① 독야청청　　② 솔선수범　　③ 식자우환　　④ 전전반측　　⑤ 좌불안석

걸린 시간　　　　분　　　맞은 개수　　　　개

교과 어휘 – 한자어

사회

신장
伸 펼 신 | 張 베풀 장

세력이나 권리가 늘어남. 또는 늘어나게 함.
예 우리는 인권 **신장**을 위해 노력해 왔다.

국어

실감
實 열매 실 | 感 느낄 감

실제로 체험하는 느낌.
예 우승을 했다는 것이 **실감** 나지 않았다.

국어

안목
眼 눈 안 | 目 눈 목

사물을 보고 분별하는 능력.
예 그녀는 작품을 고르는 **안목**이 있었다.

어휘 쏙 분별 서로 다른 일이나 사물을 구별하여 가름.

과학

압력
壓 누를 압 | 力 힘 력

① 두 물체가 접촉하는 면을 서로 수직으로 누르는 단위 면적에서의 힘의 단위.
예 건물의 **압력**을 견딜 수 있게 기둥을 세웠다.
② 남을 자기 의지에 따르게 하는 힘.
예 주변의 **압력**에도 우리는 굴하지 않았다.

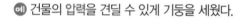
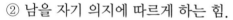

유의어 강제력 강제하는 힘이나 권력.

국어

야속하다
野 들 야 | 俗 풍속 속

언짢고 섭섭하다.
예 그들은 나의 부탁을 **야속하게** 거절하였다.

유의어 섭섭하다 서운하고 아쉽다.

국어

양성
養 기를 양 | 成 이룰 성

실력이나 역량을 길러서 발전시킴.
예 지금은 무엇보다 실력 **양성**이 중요하다.

유의어 함양 능력이나 품성 등을 길러 쌓거나 갖춤.

국어

양해
諒 믿을 양 | 解 풀 해

남의 사정을 잘 헤아려 너그러이 받아들임.
예 먼저 우리의 사정에 대해 **양해**를 구했다.

유의어 이해 남의 사정을 잘 헤아려 너그러이 받아들임.

국어

엄숙하다
嚴 엄할 엄 | 肅 엄숙할 숙

분위기나 의식이 장엄하고 정숙하다.
예 예배가 **엄숙한** 분위기에서 치러졌다.

유의어 엄중하다 엄격하고 정중하다.
어휘 쏙 장엄 씩씩하고 웅장하며 위엄 있고 엄숙함.

1-3 다음 낱말과 그 뜻풀이를 바르게 선으로 이으세요.

1 신장 • • ㉠ 남을 자기 의지에 따르게 하는 힘.

2 압력 • • ㉡ 남의 사정을 잘 헤아려 너그러이 받아들임.

3 양해 • • ㉢ 세력이나 권리가 늘어남. 또는 늘어나게 함.

4-6 다음 낱말의 뜻풀이에 알맞은 말을 골라 ○표를 하세요.

4 실감 실제로 (깨닫는, 체험하는) 느낌.

5 안목 사물을 보고 (분별하는, 선별하는) 능력.

6 양성 실력이나 역량을 (정리해서, 길러서) 발전시킴.

7-8 빈칸에 들어갈 알맞은 낱말을 보기 에서 찾아 쓰세요.

> 보기   신장   안목   압력

7 연구실 안의 (   )이 세서 문이 열리지 않았다.

8 그는 믿을 만한 사람을 찾을 수 있는 (   )을 가지고 있다.

9-10 다음 밑줄 친 낱말과 바꾸어 쓸 수 있는 낱말을 보기 에서 찾아 쓰세요.

> 보기   섭섭   실감   엄중

9 아빠는 평소와 다르게 <u>엄숙</u>한 목소리로 말씀하셨다. (   )

10 우리의 결정을 <u>야속</u>하게 생각하지 말라고 부탁하였다. (   )

걸린 시간   분   맞은 개수   개

공부한 날 ◯월 ◯일

교과 어휘 - 다의어

비다

① 일정한 공간에 사람, 사물 등이 들어 있지 아니하게 되다.

예 탁자 위가 비어 있었다.

② 할 일이 없거나 할 일을 끝내서 시간이 남다.

예 오후에 시간이 비어서 차를 한 잔 마셨다.

③ 의지할 대상이 없어 외롭고 쓸쓸하게 되다.

예 일을 끝내고 나니 마음이 텅 비어서 허전했다.

서다

① 발을 땅에 대고 다리를 쭉 뻗으며 몸을 곧게 하다.

예 버스를 기다리며 계속 서 있었다.

② 계획, 결심, 자신감 등이 마음속에 이루어지다.

예 그는 결심이 서자 그대로 행동하였다.

③ 움직이던 것이 진행을 멈추다.

예 우리 앞에 택시 한 대가 와서 섰다.

교과 어휘 - 동음이의어

무르다¹

굳은 것이 물렁거리게 되다.

예 냉장고의 채소가 다 물러서 못 먹게 되었다.

무르다²

사거나 바꾼 물건을 도로 주고 돈이나 물건을 되찾다.

예 이미 책을 구입했기 때문에 무를 수 없었다.

물다¹

윗니와 아랫니 사이에 끼운 상태로 다소 세게 누르다.

예 아기가 장난감을 입에 물고 있었다.

물다²

갚아야 할 것을 치르다.

예 사고가 나서 차 수리비를 물어 주었다.

1-2 **밑줄 친 낱말의 뜻으로 알맞은 것의 기호를 쓰세요.**

1 가득 차 있던 과자 봉지가 텅 비어 있었다. ( )

㉠ 할 일이 없거나 할 일을 끝내서 시간이 남다.
㉡ 일정한 공간에 사람, 사물 등이 들어 있지 아니하게 되다.

2 내가 열심히 고른 옷을 무르고 싶지는 않았다. ( )

㉠ 굳은 것이 물렁거리게 되다.
㉡ 사거나 바꾼 물건을 도로 주고 돈이나 물건을 되찾다.

3-5 **다음 밑줄 친 낱말의 뜻풀이를 찾아 바르게 선으로 이으세요.**

3 점심시간에 서서 밥을 먹었다. •

4 이 역에는 기차가 서지 않는다. •

5 일이 잘될 것이라는 확신이 섰다. •

• ㉠ 움직이던 것이 진행을 멈추다.

• ㉡ 계획, 결심, 자신감 등이 마음속에 이루어지다.

• ㉢ 발을 땅에 대고 다리를 쭉 뻗으며 몸을 곧게 하다.

6-7 **빈칸에 들어갈 알맞은 낱말을 보기 에서 찾아 쓰세요.**

> 보기   물러서   물어서   비어서

6 단단했던 감이 ( ) 홍시가 되었다.

7 고양이가 새끼 고양이를 입으로 ( ) 옮겼다.

8-9 **다음 뜻풀이에 알맞은 낱말을 보기 에서 찾아 기호를 쓰세요.**

> 보기   채민: 가족들이 다시 집으로 가서 오늘부터 시간이 좀 ㉠비지?
> 은채: 응. 그런데 다들 돌아가고 나니 마음도 ㉡비어버린 것 같아.

8 의지할 대상이 없어 외롭고 쓸쓸하게 되다. ( )

9 할 일이 없거나 할 일을 끝내서 시간이 남다. ( )

걸린 시간   분   맞은 개수   개

심화 어휘 – 주제별 속담

★ 원인과 결과

아니 땐 굴뚝에 연기 날까

원인이 없으면 결과가 있을 수 없음을 이르는 말.

예 아니 땐 굴뚝에 연기 날까라는 말이 있듯이, 마을에 도는 소문도 분명히 이유가 있을 것이다.

윗물이 맑아야 아랫물도 맑다

윗사람이 잘하면 아랫사람도 따라서 잘하게 된다는 말.

예 윗물이 맑아야 아랫물이 맑듯이, 부모가 모범을 보여야 자식들도 바르게 크는 법이다.

콩 심은 데 콩 나고 팥 심은 데 팥 난다

모든 일은 근본에 따라 거기에 걸맞은 결과가 나타나는 것임을 이르는 말.

예 콩 심은 데 콩 나고 팥 심은 데 팥 난다고, 그가 비난을 받게 된 이유는 사실 그의 행동에서 비롯된 것이었다.

심화 어휘 – 주제별 관용어

★ 눈과 관련된 관용어

눈에 넣어도 아프지 않다

매우 귀엽다.

예 아들은 눈에 넣어도 아프지 않을 만큼 사랑스러웠다.

눈에 익다

여러 번 보아서 익숙하다.

예 오랜만이었지만 그는 눈에 익은 옷차림이었다.

눈을 씻고 보다

정신을 바짝 차리고 집중하여 보다.

예 아무리 눈을 씻고 보아도 흔적을 찾을 수 없었다.

눈이 높다

정도 이상의 좋은 것만 찾는 버릇이 있다.

예 그는 집을 고르는 눈이 높아서 여러 곳을 돌아다녔다.

▶정답 30쪽

[1-3] 다음 관용어와 그 뜻풀이를 바르게 선으로 이으세요.

1 눈에 익다   •   • ㉠ 여러 번 보아서 익숙하다.

2 눈이 높다   •   • ㉡ 정신을 바짝 차리고 집중하여 보다.

3 눈을 씻고 보다 •   • ㉢ 정도 이상의 좋은 것만 찾는 버릇이 있다.

[4-5] 다음 뜻풀이에 알맞은 속담을 **보기** 에서 찾아 기호를 쓰세요.

> **보기** ㉠ 아니 땐 굴뚝에 연기 날까
> ㉡ 윗물이 맑아야 아랫물도 맑다
> ㉢ 콩 심은 데 콩 나고 팥 심은 데 팥 난다

4 윗사람이 잘하면 아랫사람도 따라서 잘하게 된다는 말.   (   )

5 모든 일은 근본에 따라 거기에 걸맞은 결과가 나타나는 것임을 이르는 말.   (   )

[6-7] 빈칸에 들어갈 알맞은 낱말을 **보기** 에서 찾아 쓰세요.

> **보기**   구멍   굴뚝   맑다   탁하다

6 부모님이 부지런하니까 아이들도 부지런한 것을 보니, 역시 '윗물이 맑아야 아랫물도
(   )'는 말이 맞다.

7 '아니 땐 (   )에 연기 날까'라고 하지만, 지금은 내가 하지 않은 일을 했다고 사람
들에게 오해를 받고 있다.

8 다음 상황에 알맞은 관용어를 골라 ○표를 하세요.

> 할머니는 눈에 넣어도 (아프지, 슬프지) 않을 손자가 놀러 오자 너무 기뻐하셨다. 눈
> 을 (감고, 씻고) 보아도 이렇게 예쁜 아이는 없다며 자랑하시는 모습은, 이제 자주 보아
> 서 주변 사람들의 눈에 (익은, 띄는) 모습이었다.

걸린 시간   분   맞은 개수   개

13회

공부한 날 ◯ 월 ◯ 일

교과 어휘 – 한자어

여정
旅 나그네 여 | 程 길 정

여행의 과정이나 일정.
예 제주도로 가는 여정은 내내 즐거웠다.

유의어 여행길 여행을 하는 길.

역력하다
歷 지날 역 | 歷 지날 력

자취나 기억이 환히 알 수 있게 또렷하다.
예 할머니는 반가운 기색이 역력하셨다.

유의어 분명하다 모습이나 소리가 흐릿함이 없이 똑똑하고 뚜렷하다.

연회
宴 잔치 연 | 會 모일 회

축하나 위로 등을 위하여 여러 사람이 모여 베푸는 잔치.
예 우리는 결혼을 축하하는 연회에 참석하였다.

열거
列 벌일 열 | 擧 들 거

여러 가지 예나 사실을 낱낱이 죽 늘어 놓음.
예 단순한 사례의 열거는 좋은 답이 아니다.

유의어 나열 죽 벌여 놓음.

열성적
熱 더울 열 | 誠 정성 성 | 的 과녁 적

열렬한 정성을 들이는. 또는 그런 것.
예 그는 봉사 활동에 열성적이었다.

반의어 미온적 태도가 미적지근한. 또는 그런 것

영감
靈 신령 영 | 感 느낄 감

창조적인 일의 계기가 되는 기발한 착상이나 자극.
예 나는 강렬한 영감에 사로잡혔다.

어휘 쏙 기발하다 유달리 재치가 뛰어나다.

영토
領 거느릴 영 | 土 흙 토

한 나라의 통치권이 미치는 지역.
예 우리의 영토를 지도에서 살펴보았다.

유의어 국토 나라의 땅. 한 나라의 통치권이 미치는 지역을 이른다.

온난화
溫 따뜻할 온 | 暖 따뜻할 난 | 化 될 화

지구의 기온이 높아지는 현상.
예 지구 온난화 때문에 빙하가 녹고 있다.

1-3 다음 낱말과 그 뜻풀이를 바르게 선으로 이으세요.

1 여정 •

2 연회 •

3 영감 •

• ㉠ 여행의 과정이나 일정.

• ㉡ 창조적인 일의 계기가 되는 기발한 착상이나 자극.

• ㉢ 축하나 위로 등을 위하여 여러 사람이 모여 베푸는 잔치.

4-6 빈칸에 들어갈 알맞은 낱말을 보기 에서 찾아 쓰세요.

보기	역력 연회 열거 온난화

4 지구는 (　　　) 때문에 더워지고 있다.

5 누나는 우리를 반가워하는 표정이 (　　　)하였다.

6 엄마는 내가 지금까지 받은 상들을 모두 (　　　)하셨다.

7-8 다음 밑줄 친 낱말과 바꾸어 쓸 수 있는 낱말을 보기 에서 찾아 쓰세요.

보기	국토 여행길 영감

7 지금까지 그의 <u>여정</u>은 순탄하지 않았다. (　　　)

8 우리의 <u>영토</u>는 우리가 아끼고 지켜야 한다. (　　　)

9 보기 의 밑줄 친 낱말과 뜻이 <u>반대</u>인 낱말은 무엇인가요?

보기	학교에서 열리는 음악회에 대해 학생들은 <u>열성적</u>으로 반응하였다.

① 감격적　　② 미온적　　③ 열정적　　④ 종교적　　⑤ 환상적

걸린 시간　　　　분　　맞은 개수　　　　개

 **교과 어휘** - 고유어

국어

소스라치다

깜짝 놀라 몸을 갑자기 떠는 듯이 움직이다.

예 친구는 내 목소리에 **소스라치게** 놀랐다.

국어

손놀림

손을 이리저리 움직이는 일.

예 그는 **손놀림**이 빠르고 재주가 좋았다.

국어

수군대다

남이 알아듣지 못하도록 낮은 목소리로 자꾸 가만가만 이야기하다.

예 그들은 자기들끼리만 **수군대고** 있었다.

유의어 웅성거리다 여러 사람이 모여 소란스럽게 떠드는 소리가 자꾸 나다.

사회

숱하다

아주 많다.

예 우리는 라디오에서 **숱한** 사연을 들었다.

반의어 드물다 흔하지 않다.

국어

스며들다

① 속으로 배어들다.

예 비가 와서 옷에 비가 **스며들었다**.

② 마음 깊이 느껴지다.

예 그의 웃음이 내 마음에 **스며들었다**.

유의어 배다 스며들거나 스며 나오다.

국어

슬쩍

① 남의 눈을 피하여 재빠르게.

예 친구는 수업 시간에 **슬쩍** 문자를 보냈다.

② 심하지 않게 약간.

예 두부를 **슬쩍** 익혀서 간장에 찍어 먹었다.

유의어 슬며시 남의 눈에 띄지 않게 넌지시.

국어

심드렁하다

마음에 탐탁하지 아니하여서 관심이 거의 없다.

예 나는 그의 말에 **심드렁하게** 대답했다.

어휘 쏙 탐탁하다 모양이나 태도가 마음에 들어 만족하다.

국어

싹둑싹둑

연한 물건을 거침없이 자르거나 베는 소리를 나타내는 말.

예 가위로 색종이를 **싹둑싹둑** 잘랐다.

▼ 정답 31쪽

1-3 다음 뜻풀이에 알맞은 낱말을 보기 에서 찾아 쓰세요.

> 보기   소스라치다   수군대다   숱하다   심드렁하다

1 아주 많다.   (   )

2 깜짝 놀라 몸을 갑자기 떠는 듯이 움직이다.   (   )

3 마음에 탐탁하지 아니하여서 관심이 거의 없다.   (   )

4-6 다음 낱말의 뜻풀이에 알맞은 말을 골라 ○표를 하세요.

4 슬쩍   남의 눈을 (통해서, 피하여) 재빠르게.

5 손놀림   손을 이리저리 (가져가는, 움직이는) 일.

6 싹둑싹둑   연한 물건을 거침없이 자르거나 (베는, 묶는) 소리를 나타내는 말.

7-8 다음 밑줄 친 낱말과 바꾸어 쓸 수 있는 낱말을 찾아 바르게 선으로 이으세요.

7 친구들은 계속해서 <u>수군대었다</u>. •　　　　•　㉠ 배었다

8 고기를 굽는 냄새가 옷에 <u>스며들었다</u>. •　　　　•　㉡ 웅성거렸다

9-10 다음 낱말이 들어갈 문장을 찾아 바르게 선으로 이으세요.

9 슬쩍 •　　　　•　㉠ 신문에 난 사진을 (   ) 오렸다.

10 싹둑싹둑 •　　　　•　㉡ 나물을 (   ) 데쳐서 비빔밥에 넣었다.

걸린 시간   분   맞은 개수   개

심화 어휘 - 헷갈리기 쉬운 낱말

봉오리

망울만 맺히고 아직 피지 아니한 꽃.

예 봄이 되자 줄기마다 봉오리가 맺혔다.

봉우리

산에서 뾰족하게 높이 솟은 부분.

예 우리는 가장 높은 봉우리에 올라가기로 했다.

붇다

① 물에 젖어서 부피가 커지다.

예 라면을 오래 끓였더니 면이 붇고 맛이 없었다.

② 분량이나 수효가 많아지다.

예 장마가 끝나고 개울물이 많이 불어 있었다.

붓다

살가죽이나 어떤 기관이 부풀어 오르다.

예 감기 때문에 온몸이 붓고 열이 났다.

빠르다

어떤 일이 이루어지는 과정이나 기간이 짧다.

예 그는 상황에 대한 판단이 빠르다.

이르다

기준을 잡은 때보다 앞서거나 빠르다.

예 집으로 돌아가기에는 너무 이른 시간이었다.

삭이다

긴장이나 화를 풀어 마음을 가라앉히다.

예 나는 화를 삭이고 나서 집에 들어갔다.

삭히다

음식물을 발효시켜 맛이 들게 하다.

예 조개젓을 충분히 삭혀서 맛있게 먹었다.

1-3 다음 낱말과 그 뜻풀이를 바르게 선으로 이으세요.

1 | 붓다 | •   • ㉠ 음식물을 발효시켜 맛이 들게 하다.

2 | 삭히다 | •   • ㉡ 기준을 잡은 때보다 앞서거나 빠르다.

3 | 이르다 | •   • ㉢ 살가죽이나 어떤 기관이 부풀어 오르다.

4-6 빈칸에 들어갈 알맞은 낱말을 보기 에서 찾아 쓰세요.

> 보기   봉오리   봉우리   붙고   붓고

4 잇몸이 (   ) 피가 나서 치과에 갔다.

5 점점 재산이 (   ) 돈이 모이자 뿌듯했다.

6 꽃다발에 장미 (   )가 예쁘게 맺혀 있었다.

7-8 다음 문장에 알맞은 낱말을 골라 ○표를 하세요.

7 할머니는 간장에 맛이 들도록 잘 (삭여, 삭혀) 두셨다.

8 감기가 심했는데 약효가 (이르게, 빠르게) 퍼져서 다행이었다.

9-10 다음 글에서 잘못된 부분을 찾아 바르게 고쳐 쓰세요.

> 아침부터 일찍 일어나 부모님과 등산을 했다. 높은 봉오리까지 올라가기가 너무 힘들어서 화가 났지만, 내가 가기로 한 것이니 화를 삭히고 다시 천천히 올라갔다.

9 (   ) ➔ (   )

10 (   ) ➔ (   )

걸린 시간   분   맞은 개수   개

교과 어휘 - 고유어

아낌없다
주거나 쓰는 데 아까워하는 마음이 없다.
예 엄마는 우리에게 아낌없이 사랑을 주셨다.

아로새기다
마음속에 또렷이 기억하여 두다.
예 그의 모습을 기억 속에 아로새겼다.
유의어 간직하다 생각이나 기억을 마음속에 깊이 새겨 두다.

아슬아슬하다
일이나 상황이 소름이 끼치도록 조금 위태롭거나 두렵다.
예 혼자 징검다리를 건너는데 아슬아슬했다.
유의어 조마조마하다 닥쳐올 일이 걱정되어 마음을 놓을 수 없고 불안하다.

아양
귀염을 받으려고 알랑거리는 말. 또는 그런 짓.
예 그 애는 선생님 앞에서 아양을 부렸다.
어휘 쏙 알랑거리다 좋게 보이려고 자꾸 비위를 맞추거나 아양을 떨다.

애타다
몹시 답답하거나 안타까워 속이 끓는 듯하다.
예 이번 일이 잘되기를 애타게 바랐다.

유의어 애끓다 몹시 답답하거나 안타까워 속이 끓는 듯하다.

어마어마하다
매우 놀랍게 엄청나고 굉장하다.
예 우리가 탄 유람선은 어마어마하게 컸다.

언저리
① 둘레의 가 부분.
예 그 남자는 호수 언저리에서 서성이고 있었다.
② 어떤 나이나 시간의 전후.
예 그의 나이는 서른 언저리로 보였다.

유의어 근처 가까운 곳.

얼씬거리다
조금 큰 것이 눈앞에 잠깐씩 나타났다 없어지다.
예 산길에는 사람이 한 명도 얼씬거리지 않았다.

확인학습

1-3 다음 뜻풀이에 알맞은 낱말을 **보기** 에서 찾아 쓰세요.

> **보기**　　아낌없다　　아로새기다　　아양　　얼씬거리다

1 주거나 쓰는 데 아까워하는 마음이 없다.　　　　　　　　(　　　　　)

2 귀염을 받으려고 알랑거리는 말. 또는 그런 짓.　　　　　(　　　　　)

3 조금 큰 것이 눈앞에 잠깐씩 나타났다 없어지다.　　　　(　　　　　)

4-6 다음 밑줄 친 낱말과 바꾸어 쓸 수 있는 낱말을 찾아 바르게 선으로 이으세요.

4 어머니의 <u>애타는</u> 마음이 전해졌다.　 •　　　　　• ㉠　간직한

5 그것은 옛 추억을 <u>아로새긴</u> 사진이었다. •　　　　• ㉡　애끓는

6 공연을 지켜보니 <u>아슬아슬한</u> 기분이었다. •　　• ㉢　조마조마한

7-9 다음 낱말이 들어갈 문장을 찾아 바르게 선으로 이으세요.

7 아낌없는 •　　　　　• ㉠ 나는 (　　　) 소식을 들었다.

8 어마어마한 •　　　　• ㉡ 자꾸 동네에 (　　) 사람이 있다.

9 얼씬거리는 •　　　　• ㉢ 관객들은 우리에게 (　　) 환호를 보냈다.

10 **보기** 의 밑줄 친 낱말의 뜻풀이로 알맞은 것의 기호를 쓰세요.

> **보기**　　　그녀의 나이는 대략 서른 <u>언저리</u>로 보였다.

㉠ 둘레의 가 부분.
㉡ 어떤 나이나 시간의 전후.

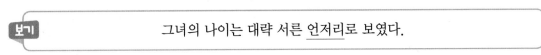

걸린 시간 　　　 분　　　 맞은 개수 　　　 개

심화 어휘 - 주제별 한자 성어

★ 실력이 비슷함

난형난제
難 어려울 난 | 兄 형 형 | 難 어려울 난 | 弟 아우 제

누구를 형이라 하고 누구를 아우라 하기 어렵다는 뜻으로, 두 사물이 비슷하여 낫고 못함을 정하기 어려움을 이르는 말.
예 양 팀의 실력은 **난형난제**여서 승부를 알 수 없었다.

막상막하
莫 없을 막 | 上 위 상 | 莫 없을 막 | 下 아래 하

더 낫고 더 못함의 차이가 거의 없음.
예 두 카메라의 성능은 **막상막하**였다.

백중지세
伯 맏 백 | 仲 버금 중 | 之 갈 지 | 勢 기세 세

힘이나 능력 등이 서로 엇비슷하여 누가 더 낫고 못함을 가리기 힘든 형세.
예 두 사람은 **백중지세**로 승부를 겨루었다.

호각지세
互 서로 호 | 角 뿔 각 | 之 갈 지 | 勢 기세 세

양쪽의 실력이 비슷해서 서로 낫고 못함이 없이 맞선 기세.
예 적군과 아군은 **호각지세**로 맞붙어 싸웠다.

★ 삶에 대한 만족

빈이무원
貧 가난할 빈 | 而 말 이을 이 | 無 없을 무 | 怨 원망할 원

가난하지만 남을 원망하지 않음.
예 그는 어려운 처지였지만 **빈이무원**하였다.

안분지족
安 편안할 안 | 分 나눌 분 | 知 알 지 | 足 발 족

편안한 마음으로 제 분수를 지키며 만족할 줄을 앎.
예 그들은 자연을 즐기며 자신의 처지에 **안분지족**하였다.

안빈낙도
安 편안할 안 | 貧 가난할 빈 | 樂 즐길 락 | 道 길 도

가난한 생활을 하면서도 편안한 마음으로 도를 즐겨 지킴.
예 선비들은 고향에 내려가 **안빈낙도**하며 살았다.

1-3 다음 한자 성어와 그 뜻풀이를 바르게 선으로 이으세요.

1 난형난제 •

• ㉠ 더 낫고 더 못함의 차이가 거의 없음.

2 막상막하 •

• ㉡ 누구를 형이라 하고 누구를 아우라 하기 어렵다는 뜻.

3 안빈낙도 •

• ㉢ 가난한 생활을 하면서도 편안한 마음으로 도를 즐겨 지킴.

4-5 다음 한자 성어의 뜻풀이에 알맞은 말을 골라 ○표를 하세요.

4 호각지세 양쪽의 실력이 비슷해서 서로 낫고 못함이 없이 (친한, 맞선) 기세.

5 백중지세 힘이나 능력 등이 서로 엇비슷하여 누가 더 낫고 못함을 가리기 (쉬운, 힘든) 형세.

6-8 빈칸에 들어갈 알맞은 한자 성어를 보기 에서 찾아 쓰세요.

> 보기   난형난제   빈이무원   안분지족   안빈낙도

6 그분은 가난한 자신의 처지를 원망하지 않고 (   )하였다.

7 우리는 욕심을 부리지 않고 우리의 분수를 알고 (   )하며 살았다.

8 두 사람의 솜씨가 모두 빼어나서 우열을 가리기가 (   )라고 할 만하였다.

9 다음 빈칸에 어울리지 <u>않는</u> 한자 성어는 무엇인가요?

> 예선전을 치르고 결승전에 올라간 두 팀의 경기는 서로 실력이 비슷하여 연장전까지 가서도 승부가 쉽게 갈리지 않았다. 두 팀의 실력은 (   )라고 할 수 있다.

① 난형난제   ② 막상막하   ③ 백중지세   ④ 안빈낙도   ⑤ 호각지세

걸린 시간   분   맞은 개수   개

15회

 교과 어휘 – 한자어

사회

원활
圓 둥글 원 | 滑 미끄러울 활

① 모난 데가 없고 원만함.
예 우리 팀은 다른 팀과 원활한 관계를 유지했다.
② 거침이 없이 잘되어 나감.
예 이번 업무는 원활하게 진행할 수 있었다.

국어

위생
衛 지킬 위 | 生 날 생

건강에 유익하도록 조건을 갖추거나 대책을 세우는 일.
예 요즘 같은 시기에는 위생에 철저해야 한다.

어휘 쏙 대책 어떤 일에 대처할 계획이나 수단.

과학

위성
衛 지킬 위 | 星 별 성

행성의 인력에 의하여 그 둘레를 도는 천체.
예 달은 지구 주위를 도는 위성이다.

어휘 쏙 인력 물체끼리 서로 끌어당기는 힘.
어휘 쏙 천체 우주에 존재하는 모든 물체.

국어

유념
留 머무를 유 | 念 생각 념

마음속에 깊이 간직하여 생각함.
예 우리는 선생님의 가르침을 유념하였다.

유의어 명심 잊지 않도록 마음에 깊이 새겨 둠.

사회

유목
遊 놀 유 | 牧 칠 목

가축이 먹을 만한 물과 풀밭을 찾아 떠돌아다니며 사는 방식.
예 초원의 부족들은 유목을 하면서 산다.

사회

유발
誘 꾈 유 | 發 필 발

어떤 것이 다른 일을 일어나게 함.
예 사람들의 무관심이 사건을 유발하였다.

유의어 촉발 어떤 일이 다른 어떤 일로부터 영향을 받거나 자극되어 일어남.

국어

윤택
潤 윤택할 윤 | 澤 못 택

① 광택에 윤기가 있음.
예 그녀의 머릿결은 아주 윤택이 흘렀다.
② 살림이 풍부함.
예 그는 어려서부터 윤택한 집에서 자랐다.

유의어 광택 빛의 반사로 물체의 표면에서 반짝거리는 빛.

국어

은폐
隱 숨을 은 | 蔽 가릴 폐

덮어 감추거나 가리어 숨김.
예 그들은 이번 일을 은폐하려고 했다.

반의어 공개 어떤 사실이나 사물, 내용 등을 여러 사람에게 널리 터놓음.

1-3 다음 낱말과 그 뜻풀이를 바르게 선으로 이으세요.

1 위생 •

2 위성 •

3 유목 •

• ㉠ 행성의 인력에 의하여 그 둘레를 도는 천체.

• ㉡ 건강에 유익하도록 조건을 갖추거나 대책을 세우는 일.

• ㉢ 가축이 먹을 만한 물과 풀밭을 찾아 떠돌아 다니며 사는 방식.

4-6 빈칸에 들어갈 알맞은 낱말을 보기 에서 찾아 쓰세요.

> **보기**　　　원활　　위생　　유념　　윤택

4 그들은 (　　　　)한 삶을 살며 여유롭게 지냈다.

5 언제나 안전이 중요하다는 것을 (　　　　)해야 한다.

6 그는 다른 사람들과 (　　　　)하게 소통할 수 없었다.

7-9 다음 밑줄 친 낱말과 바꾸어 쓸 수 있는 낱말을 찾아 바르게 선으로 이으세요.

7 나는 실수를 하지 않도록 <u>유념</u>하였다. •

8 이 옷은 옷감이 까칠하고 <u>윤택</u>이 없었다. •

9 새로 개발한 약은 다양한 현상을 <u>유발</u>한다. •

• ㉠ 광택

• ㉡ 명심

• ㉢ 촉발

10 보기 의 밑줄 친 낱말과 뜻이 **반대**인 낱말은 무엇인가요?

> **보기**　　우리의 과거를 더 이상 <u>은폐</u>할 수는 없었다.

① 공개　　　② 유념　　　③ 유발　　　④ 윤택　　　⑤ 촉발

 걸린 시간　　　　분　　　맞은 개수　　　　개

교과 어휘 - 다의어

씻다

① 물이나 휴지로 때나 더러운 것을 없게 하다.

예 손을 자주 씻어야 감기를 예방할 수 있다.

② 누명이나 오해에서 벗어나 떳떳한 상태가 되다.

예 그는 오해를 깨끗이 씻고 오겠다고 다짐했다.

③ 현재의 좋지 않은 상태에서 벗어나다.

예 그동안의 걱정을 씻을 만한 좋은 소식이 들렸다.

올리다

① 값이나 수치 등을 이전보다 많아지게 하거나 높이다.

예 음식점들은 일제히 가격을 올렸다.

② 위쪽으로 높게 하거나 세우다.

예 아저씨들은 차곡차곡 벽돌을 쌓아 올리고 있었다.

③ 의식이나 예식을 치르다.

예 우리는 결혼식을 올리기 위해 준비를 시작하였다.

교과 어휘 - 동음이의어

벌어지다¹

갈라져서 사이가 뜨다.

예 밤이 다 익어서 틈이 벌어졌다.

벌어지다²

어떤 일이 일어나거나 진행되다.

예 아무도 예상하지 못한 사건이 벌어졌다.

부르다¹

말이나 행동 등으로 다른 사람의 주의를 끌거나 오라고 하다.

예 친구들이 멀리서 나를 계속 불렀다.

부르다²

먹은 것이 많아 속이 꽉 찬 느낌이 들다.

예 고기를 많이 먹었더니 배가 불러서 힘들었다.

 확인 학습

[1-2] 밑줄 친 낱말의 뜻으로 알맞은 것의 기호를 쓰세요.

1 과일은 흐르는 물에 충분히 씻어 먹어야 한다.　　　　(　　)

　　㉠ 현재의 좋지 않은 상태에서 벗어나다.
　　㉡ 물이나 휴지로 때나 더러운 것을 없게 하다.

2 그 사건은 우리가 학교에 없는 사이에 벌어졌다.　　　　(　　)

　　㉠ 갈라져서 사이가 뜨다.
　　㉡ 어떤 일이 일어나거나 진행되다.

[3-5] 다음 밑줄 친 낱말의 뜻풀이를 찾아 바르게 선으로 이으세요.

3 깃발을 올려서 도착을 알렸다.　•　　　•　㉠ 의식이나 예식을 치르다.

4 나는 이번 시험에서 성적을 올렸다.　•　　　•　㉡ 위쪽으로 높게 하거나 세우다.

5 이모는 결국 약혼식을 올리지 못했다.　•　　　•　㉢ 값이나 수치 등을 이전보다 많아지게 하거나 높이다.

[6-7] 빈칸에 들어갈 알맞은 낱말을 **보기** 에서 찾아 쓰세요.

> **보기**　　　벌어지고　　부르고　　씻고　　올리고

6 종이에 베인 상처가 조금씩 (　　　　) 있었다.

7 형은 그동안의 누명을 (　　　　) 다시 집으로 돌아왔다.

[8-9] 다음 뜻풀이에 알맞은 낱말을 **보기** 에서 찾아 기호를 쓰세요.

> **보기**　예솔: 아까 내가 밥 먹으러 가자고 ㉠불렀는데 왜 오지 않았니?
> 　지은: 나는 벌써 저녁을 먹어서 배가 ㉡불렀거든.

8 먹은 것이 많아 속이 꽉 찬 느낌이 들다.　　　　　　　(　　)

9 말이나 행동 등으로 다른 사람의 주의를 끌거나 오라고 하다.　(　　)

걸린 시간　　　　분　　　맞은 개수　　　　개

15회

심화 어휘 - 주제별 속담

★ 말의 중요성

☐ **가루는 칠수록 고와지고 말은 할수록 거칠어진다**

가루는 체에 칠수록 고와지지만 말은 길어질수록 시비가 붙을 수 있으니 말을 삼가라는 말.

예 가루는 칠수록 고와지고 말은 할수록 거칠어진다고, 함부로 다른 사람에 대해 이야기하는 것은 좋지 않다.

어휘쏙 시비 옳음과 그름.

☐ **낮말은 새가 듣고, 밤말은 쥐가 듣는다**

아무도 안 듣는 데서라도 말조심해야 한다는 말.

예 낮말은 새가 듣고 밤말은 쥐가 듣는다고, 누가 듣고 있을지 모르니 언제나 말조심을 해야 한다.

☐ **발 없는 말이 천 리 간다**

말은 비록 발이 없지만 천 리 밖까지도 순식간에 퍼진다는 뜻으로, 말을 삼가야 함을 이르는 말.

예 비밀스럽게 한 말이 벌써 소문이 난 것을 보니, 발 없는 말이 천 리 간다는 말이 맞구나.

심화 어휘 - 주제별 관용어

★ 등과 관련된 관용어

☐ **등골이 빠지다**

견디기 어려울 정도로 몹시 힘이 들다.

예 날마다 등골이 빠지게 고생하며 일을 하였다.

☐ **등골이 서늘하다**

두려움으로 아찔하고 등골이 떨리다.

예 캄캄한 숲속에 들어서니 등골이 서늘하였다.

☐ **등을 돌리다**

뜻을 같이하던 사람이나 단체와 관계를 끊고 따돌리다.

예 그가 갑자기 나에게 등을 돌리고 연락을 끊었다.

☐ **등을 떠밀다**

일을 억지로 시키거나 부추기다.

예 친구들이 하도 등을 떠밀어서 억지로 출전했다.

1-3 다음 관용어와 그 뜻풀이를 바르게 선으로 이으세요.

1 등을 돌리다 •
2 등골이 빠지다 •
3 등골이 서늘하다 •

• ㉠ 두려움으로 아찔하고 등골이 떨리다.
• ㉡ 견디기 어려울 정도로 몹시 힘이 들다.
• ㉢ 뜻을 같이하던 사람이나 단체와 관계를 끊고 따돌리다.

4-5 다음 뜻풀이에 알맞은 속담을 보기 에서 찾아 기호를 쓰세요.

> 보기 ㉠ 발 없는 말이 천 리 간다
> ㉡ 낮말은 새가 듣고, 밤말은 쥐가 듣는다
> ㉢ 가루는 칠수록 고와지고 말은 할수록 거칠어진다

4 아무도 안 듣는 데서라도 말조심해야 한다는 말. ( )

5 가루는 체에 칠수록 고와지지만 말은 길어질수록 시비가 붙을 수 있으니 ( ) 말을 삼가라는 말.

6-7 빈칸에 들어갈 알맞은 낱말을 보기 에서 찾아 쓰세요.

> 보기 고와지고 달아지고 머리 발 손

6 친구 사이라도 근거 없는 이야기는 하지 않는 것이 좋아. ( ) 없는 말이 천 리 간다고 하잖아.

7 가루는 칠수록 ( ) 말은 할수록 거칠어진다고, 쓸데없는 말은 하지 말고 자신이 할 말만 정확히 하는 것이 좋아.

8 다음 상황에 알맞은 관용어를 골라 ○표를 하세요.

> 나에게 우리 모임의 대표를 맡으라고 주위에서 등을 (떠밀어서, 돌려서) 얼떨결에 대표가 되었다. 이제부터 등골이 (빠지게, 오싹하게) 열심히 해야겠다고 다짐했다.

걸린 시간 분 맞은 개수 개

공부한 날 ◯월 ◯일

교과 어휘 - 한자어

국어

인격
人 사람 인 | 格 격식 격

사람으로서의 품격.

㉄ 그는 인격이 바르고 정직하였다.

> 유의어 ▶ 인품 사람이 사람으로서 가지는 품격이나 됨됨이.
> 어휘쏙 ▶ 품격 사람 된 바탕과 타고난 성품.

국어

인용
引 끌 인 | 用 쓸 용

남의 말이나 글을 자신의 말이나 글 속에 끌어 씀.

㉄ 나는 책의 내용을 인용하여 숙제를 했다.

사회

인접
隣 이웃 인 | 接 이을 접

이웃하여 있거나 옆에 닿아 있음.

㉄ 인접 국가들의 주의가 필요한 시점이다.

> 유의어 ▶ 근접 가까이 접근함.

과학

일주
一 한 일 | 周 두루 주

일정한 경로를 한 바퀴 돎.

㉄ 나는 친구들과 유럽 일주를 하고 돌아왔다.

국어

자금
資 재물 자 | 金 쇠 금

특정한 목적에 쓰는 돈.

㉄ 결혼 자금을 모으기가 쉽지 않았다.

> 유의어 ▶ 비용 어떤 일을 하는 데 드는 돈.

사회

자산
資 재물 자 | 産 낳을 산

① 경제적 가치가 있는 재산.

㉄ 기업의 자산이 점점 감소하고 있다.

② 소중히 여길 가치가 있는 것을 이르는 말.

㉄ 우리 고유의 문화는 소중한 자산이 된다.

국어

자원
資 재물 자 | 源 근원 원

인간 생활 및 경제 생산에 이용되는 원료를 통틀어 이르는 말.

㉄ 우리가 쓸 수 있는 자원은 한정되어 있다.

> 유의어 ▶ 물자 어떤 활동에 필요한 여러 가지 물건이나 재료.

국어

자율
自 스스로 자 | 律 법칙 율

남의 지배나 구속을 받지 아니하고 스스로의 원칙에 따라 어떤 일을 하는 일.

㉄ 우리 학교는 자습을 자율에 따르기로 했다.

> 반의어 ▶ 타율 자신의 의지와 관계없이 정해진 원칙에 따라 움직이는 일.

확인학습

1-3 다음 낱말과 그 뜻풀이를 바르게 선으로 이으세요.

1 인용 •   • ㉠ 특정한 목적에 쓰는 돈.

2 일주 •   • ㉡ 일정한 경로를 한 바퀴 돎.

3 자금 •   • ㉢ 남의 말이나 글을 자신의 말이나 글 속에 끌어 씀.

4-6 다음 낱말의 뜻풀이에 알맞은 말을 골라 ○표를 하세요.

4 인격 사람으로서의 (외모, 품격).

5 인접 이웃하여 있거나 (위에, 옆에) 닿아 있음.

6 자율 남의 지배나 (협력, 구속)을 받지 아니하고 스스로의 원칙에 따라 어떤 일을 하는 일.

7-8 빈칸에 들어갈 알맞은 낱말을 보기 에서 찾아 쓰세요.

> **보기**   자금   자산   자원

7 현재의 젊은이들은 미래의 (   )이다.

8 우리나라는 삼면이 바다여서 수산 (   )이 풍부한 편이다.

9-10 다음 밑줄 친 낱말과 바꾸어 쓸 수 있는 낱말을 보기 에서 찾아 쓰세요.

> **보기**   근접   비용   인품

9 그 사람은 <u>인격</u>이 훌륭한 사람이다.   (   )

10 신제품 개발에 <u>자금</u>이 많이 들어가고 있다.   (   )

걸린 시간   분   맞은 개수   개

교과 어휘 - 고유어

얽어매다

① 얽어서 동여 묶다.
⑩ 그는 새끼줄을 기둥에 얽어매었다.
② 마음대로 행동할 수 없도록 몹시 구속하다.
⑩ 조직은 나를 얽어매고 있었다.

<유의어> 동여매다 끈이나 실로 두르거나 감거나 하여 묶다.

여리다

① 단단하거나 질기지 않아 부드럽거나 약하다.
⑩ 화분에는 여린 새싹이 돋아나고 있었다.
② 마음이나 감정이 약하고 무르다.
⑩ 그는 보기와 달리 여려서 자주 눈물을 흘렸다.

<유의어> 나약하다 의지가 굳세지 못하다.

연신

잇따라 자꾸.
⑩ 우리는 연신 고맙다고 인사를 드렸다.

오그라들다

안쪽으로 오목하게 휘어져 들어가다.
⑩ 너무 추워서 손가락이 오그라드는 것 같았다.

<반의어> 펴지다 굽은 것이 곧게 되다.

오롯이

모자람이 없이 온전하게.
⑩ 방 안에는 아이들의 온기가 오롯이 남아 있었다.

오지다

마음에 흡족하게 흐뭇하다.
⑩ 그때는 정말 마음이 오지고 통쾌하였다.

<어휘 쏙> 흡족하다 조금도 모자람이 없을 정도로 넉넉하여 만족하다.

올바르다

언행이나 생각이 옳고 바르다.
⑩ 선생님은 언제나 올바르게 행동하셨다.

<유의어> 진실하다 마음에 거짓이 없이 순수하고 바르다.

와닿다

글이나 말, 음악 등이 마음에 공감을 일으키게 되다.
⑩ 노랫말이 내 마음에 와닿았다.

▶ 정답 31쪽

1-3 다음 뜻풀이에 알맞은 낱말을 보기 에서 찾아 쓰세요.

> 보기
>
> 여리다   오지다   와닿다   올바르다

1 마음에 흡족하게 흐뭇하다.   (   )

2 언행이나 생각이 옳고 바르다.   (   )

3 글이나 말, 음악 등이 마음에 공감을 일으키게 되다.   (   )

4-6 다음 밑줄 친 낱말과 바꾸어 쓸 수 있는 낱말을 찾아 바르게 선으로 이으세요.

4 그녀는 성품이 <u>여리고</u> 순한 편이었다.   •   • ㉠ 나약하고

5 나는 <u>올바르고</u> 선한 그의 말을 믿었다.   •   • ㉡ 동여매고

6 경찰은 범인을 밧줄로 <u>얽어매고</u> 도망가지 •   • ㉢ 진실하고
못하게 하였다.

7-8 다음 낱말이 들어갈 문장을 찾아 바르게 선으로 이으세요.

7   연신   •   • ㉠ 엄마의 솜씨가 음식마다 (   ) 담겨 있었다.

8   오롯이   •   • ㉡ 그는 고개를 (   ) 저으며 모르겠다는 표정을
지었다.

9 보기 의 밑줄 친 낱말과 뜻이 <u>반대</u>인 낱말은 무엇인가요?

> 보기
>
> 뜨거운 물에 빨래를 했더니 옷이 <u>오그라들고</u> 말았다.

① 굳어지고   ② 뒤틀리고   ③ 수축하고   ④ 줄어들고   ⑤ 펴지고

걸린 시간 (   ) 분   맞은 개수 (   ) 개

공부한 날 ◯월 ◯일

교과 어휘 - 한자어

과학

자정
自 스스로 자 | 淨 깨끗할 정

오염된 물이나 땅이 자연적인 작용으로 저절로 깨끗해짐.
예 자연은 스스로의 **자정** 능력을 가지고 있다.

유의어 정화 불순하거나 더러운 것을 깨끗하게 함.

국어

장관
壯 장할 장 | 觀 볼 관

훌륭하고 장대한 광경.
예 바닷가의 절벽이 **장관**을 이루고 있었다.

어휘 쏙 장대하다 규모가 넓고 크다.

사회

재난
災 재앙 재 | 難 어려울 난

뜻밖에 일어난 재앙과 고난.
예 태풍이 오면서 우리 마을에 **재난**이 닥쳤다.

유의어 재앙 뜻하지 아니하게 생긴 불행한 사고.

국어

재배
栽 심을 재 | 培 북돋울 배

식물을 심어 가꿈.
예 기온에 따라 식물의 **재배** 방법이 다르다.

국어

적선
積 쌓을 적 | 善 착할 선

① 착한 일을 많이 함.
예 사장님은 가난한 사람들에게 **적선**을 베풀었다.
② 동냥질에 응하는 일을 좋게 이르는 말.
예 거지는 나에게 손을 내밀며 **적선**을 요구했다.

과학

적조
赤 붉을 적 | 潮 조수 조

동물성 플랑크톤이 갑자기 많이 번식하여 바닷물이 붉게 보이는 현상.
예 남해는 **적조** 현상 때문에 피해를 입었다.

어휘 쏙 플랑크톤 물속에서 물결에 따라 떠다니는 작은 생물을 통틀어 이르는 말.

국어

적합하다
適 맞을 적 | 合 합할 합

일이나 조건에 꼭 알맞다.
예 수영은 나에게 **적합한** 운동이었다.

유의어 적절하다 꼭 알맞다.
반의어 부적합하다 일이나 조건 등에 꼭 알맞지 아니하다.

사회

전력
專 오로지 전 | 力 힘 력

오로지 한 가지 일에 온 힘을 다함.
예 나는 이번 경기에 **전력**을 다해서 임했다.

유의어 독력 오로지 한 가지 일에 온 힘을 다함.

확인 학습

1-3 다음 낱말과 그 뜻풀이를 바르게 선으로 이으세요.

1 장관 •   • ㉠ 식물을 심어 가꿈.

2 재배 •   • ㉡ 훌륭하고 장대한 광경.

3 적조 •   • ㉢ 동물성 플랑크톤이 갑자기 많이 번식하여 바닷물이 붉게 보이는 현상.

4-6 다음 낱말의 뜻풀이에 알맞은 말을 골라 ○표를 하세요.

4 적합하다   일이나 조건에 꼭 (붙다, 알맞다).

5 전력   오로지 한 가지 일에 온 힘을 (버림, 다함).

6 자정   (오염된, 메마른) 물이나 땅이 자연적인 작용으로 저절로 깨끗해짐.

7-8 빈칸에 들어갈 알맞은 낱말을 보기 에서 찾아 쓰세요.

> **보기**   재배   적선   전력

7 나는 집에서 난초를 (   )하는 취미가 새로 생겼다.

8 다른 사람에게 보일 목적으로 (   )하는 것은 좋은 태도가 아니다.

9-10 다음 밑줄 친 낱말과 바꾸어 쓸 수 있는 낱말을 보기 에서 찾아 쓰세요.

> **보기**   독력   재앙   정화

9 커다란 재난도 힘을 합하면 이겨낼 수 있다.   (   )

10 강물의 오염이 심했지만 자정 작용으로 많이 깨끗해졌다.   (   )

걸린 시간   분   맞은 개수   개

교과 어휘 - 고유어

유난

말과 행동이 보통과 매우 다름.

예 이런 일에 **유난**을 떠는 이유가 궁금했다.

응석

어른에게 어리광을 부리거나 귀여워해 주는 것을 믿고 버릇없이 구는 일.

예 아들의 **응석**을 받아주다 보니 버릇이 없어졌다.

어휘쏙 **어리광** 어른에게 귀염을 받으려고 어린아이의 말씨나 태도로 버릇없이 구는 일.

이웃하다

가까이 있어 경계가 서로 붙어 있다.

예 할머니는 우리와 **이웃한** 곳에 살고 계셨다.

유의어 **인접하다** 서로 가까이 있거나 경계가 붙어 있다.

일렁이다

물결이나 바람에 이리저리 자꾸 크고 가볍게 움직이다.

예 고요한 방 안에 촛불만 **일렁이고** 있었다.

일컫다

가리켜 말하다.

예 우리는 그를 살아 있는 부처라고 **일컬었다**.

유의어 **칭하다** 무엇이라고 일컫다.

자아내다

감정이나 눈물 등이 저절로 생기거나 나오도록 일으켜 내다.

예 그의 행동은 나의 웃음을 **자아냈다**.

유의어 **일으키다** 일어나게 하다.

자잘하다

여럿이 다 가늘거나 작다.

예 엄마는 **자잘한** 무늬가 있는 옷을 좋아하셨다.

반의어 **큼직하다** 꽤 크다.

잠자코

아무 말 없이 가만히.

예 나는 **잠자코** 그의 다음 말을 기다렸다.

유의어 **말없이** 아무런 말도 아니 하고.

1-3 다음 뜻풀이에 알맞은 낱말을 보기 에서 찾아 쓰세요.

> 보기   유난   응석   인접   잠자코

1 아무 말 없이 가만히.   (   )

2 말과 행동이 보통과 매우 다름.   (   )

3 어른에게 어리광을 부리거나 귀여워해 주는 것을 믿고 버릇없이 구는 일.   (   )

4-6 다음 밑줄 친 낱말과 바꾸어 쓸 수 있는 낱말을 찾아 바르게 선으로 이으세요.

4 우리 집은 옆 학교와 이웃했다.   •   • ㉠ 인접했다

5 사람들은 그를 신사라고 일컬었다.   •   • ㉡ 일으켰다

6 그녀는 신비로운 분위기를 자아냈다.   •   • ㉢ 칭했다

7-9 다음 낱말이 들어갈 문장을 찾아 바르게 선으로 이으세요.

7 일렁이는 •   • ㉠ 우리는 (   ) 다음 차례를 기다렸다.

8 자잘한 •   • ㉡ (   ) 돌멩이들이 바닥에 깔려 있었다.

9 잠자코 •   • ㉢ 따뜻한 바람에 (   ) 들판에 나가 보았다.

10 다음 중 짝 지어진 낱말의 관계가 나머지와 다른 것은 무엇인가요?

① 이웃하다 – 인접하다   ② 일컫다 – 칭하다   ③ 자아내다 – 일으키다
④ 자잘하다 – 큼직하다   ⑤ 잠자코 – 말없이

걸린 시간   분   맞은 개수   개

심화 어휘 – 주제별 한자 성어

★ 임시의 방법

고식지계
姑 시어미 고 | 息 숨쉴 식 | 之 갈 지 | 計 꾀할 계

우선 당장 편한 것만을 택하는 꾀나 방법.
예 눈앞의 이익만 꾀하는 **고식지계**로는 미래를 계획하기 어렵다.

동족방뇨
凍 얼 동 | 足 발 족 | 放 놓을 방 | 尿 오줌 뇨

언 발에 오줌 누기라는 뜻으로, 잠시 동안만 효력이 있을 뿐 효력이 바로 사라짐을 이르는 말.
예 우는 아이에게 휴대폰을 주는 것은 **동족방뇨**일 뿐이다.

미봉책
彌 두루 미 | 縫 꿰맬 봉 | 策 꾀 책

눈가림만 하는 일시적인 계책.
예 정부가 내놓은 정책은 **미봉책**에 불과하다.

임시변통
臨 임할 임 | 時 때 시 | 變 변할 변 | 通 통할 통

갑자기 터진 일을 우선 간단하게 둘러맞추어 처리함.
예 치맛단이 터져서 **임시변통**으로 셀로판테이프를 붙여 해결했다.

하석상대
下 아래 하 | 石 돌 석 | 上 윗 상 | 臺 돈대 대

아랫돌 빼서 윗돌 괴고 윗돌 빼서 아랫돌 괸다는 뜻으로, 임시변통으로 이리저리 둘러맞춤을 이르는 말.
예 일손이 부족해서 다른 마을에서 사람을 데려왔지만, 그야말로 **하석상대**일 뿐이었다.

★ 여유 있는 태도

유유자적
悠 멀 유 | 悠 멀 유 | 自 스스로 자 | 適 갈 적

속세를 떠나 아무 속박 없이 조용하고 편안하게 삶.
예 우리는 해변에서 **유유자적**하며 휴가를 즐겼다.
어휘 쏙 속박 사람을 강압적으로 얽어매거나 자유롭지 못하게 함.

태연자약
泰 클 태 | 然 그럴 연 | 自 스스로 자 | 若 같을 약

마음에 어떠한 충동을 받아도 움직임이 없이 천연스러움.
예 그는 속으로는 놀란 듯했지만 **태연자약**하게 웃으며 말했다.

[1-3] 다음 한자 성어와 그 뜻풀이를 바르게 선으로 이으세요.

1   동족방뇨   •
                        • ㉠ 우선 당장 편한 것만을 택하는 꾀나 방법.

2   고식지계   •
                        • ㉡ 갑자기 터진 일을 우선 간단하게 둘러맞추어 처리함.

3   임시변통   •
                        • ㉢ 언 발에 오줌 누기라는 뜻으로, 잠시 동안만 효력이 있을 뿐 효력이 바로 사라짐을 이르는 말.

[4-5] 다음 한자 성어의 뜻풀이에 알맞은 말을 골라 ○표를 하세요.

4   미봉책   눈가림만 하는 (일시적인, 영구적인) 계책.

5   태연자약   마음에 어떠한 (칭찬, 충동)을 받아도 움직임이 없이 천연스러움.

[6-8] 빈칸에 들어갈 알맞은 한자 성어를 [보기]에서 찾아 쓰세요.

> **보기**   고식지계   유유자적   태연자약   하석상대

6   나는 사람들이 드문 산골에서 평화롭게 (　　　　)하며 살았다.

7   그는 거짓말이 밝혀진 뒤에도 (　　　　)하게 하던 일을 계속 했다.

8   없어진 물건을 임시로 빌려다 놓았지만 곧 드러날 (　　　　)에 불과했다.

9   다음 밑줄 친 상황을 표현하기에 알맞지 <u>않은</u> 한자 성어는 무엇인가요?

> 우리는 여행 내내 들고 다녔던 가방과 짐들이 사라진 것을 발견하였다. 급한 대로 근처 가게에서 당장 입을 옷과 먹을 것을 샀지만, 앞으로 2주 동안 여행하기에는 턱없이 부족한 것이었다.

① 동족방뇨   ② 미봉책   ③ 유유자적   ④ 임시변통   ⑤ 하석상대

걸린 시간　　　　분　　　맞은 개수　　　　개

교과 어휘 – 한자어

국어

절실하다
切 끊을 절 | 實 열매 실

① 느낌이나 생각이 뼈저리게 강렬한 상태에 있다.
예 그는 우리를 절실한 표정으로 바라보았다.

② 매우 시급하고도 긴요한 상태에 있다.
예 이번 사건을 해결할 대책이 절실하다.

> 유의어 절박하다 어떤 일이나 때가 가까이 닥쳐서 몹시 급하다.
> 어휘쏙 긴요하다 꼭 필요하고 중요하다.

국어

점검
點 점찍을 점 | 檢 검사할 검

낱낱이 검사함.
예 우리는 장비 점검을 하고 일을 시작했다.

> 유의어 검사 사실이나 일의 상태를 조사하여 옳고 그름과 낫고 못함을 판단하는 일.

사회

정의
正 바를 정 | 義 옳을 의

진리에 맞는 올바른 도리.
예 아버지는 정의를 위하여 싸우기로 하셨다.

> 반의어 불의 의리, 도의, 정의 등에 어긋남.

과학

정화
淨 깨끗할 정 | 化 될 화

불순하거나 더러운 것을 깨끗하게 함.
예 시에서는 폐수 정화 시설을 마련하였다.

> 반의어 불순 물질이 순수하지 아니함.

사회

제설
除 덜 제 | 雪 눈 설

쌓인 눈을 치움.
예 도로에 제설 작업이 한창 진행되고 있었다.

국어

조작
造 지을 조 | 作 지을 작

어떤 일을 사실인 듯이 꾸며 만듦.
예 사건 조작을 하지 말고 진실을 말해야 한다.

> 유의어 날조 사실이 아닌 것을 사실인 것처럼 거짓으로 꾸밈.

국어

조화
造 지을 조 | 化 될 화

만물을 창조하고 기르는 대자연의 이치.
예 그것은 자연의 오묘한 조화였다.

사회

주거
住 살 주 | 居 살 거

일정한 곳에 머물러 삶.
예 가족들에게 주거 공간은 매우 중요하다.

> 유의어 거주 일정한 곳에 머물러 삶.

[1-3] 다음 낱말과 그 뜻풀이를 바르게 선으로 이으세요.

1 정의 ·   · ㉠ 쌓인 눈을 치움.

2 제설 ·   · ㉡ 진리에 맞는 올바른 도리.

3 조화 ·   · ㉢ 만물을 창조하고 기르는 대자연의 이치.

[4-6] 다음 낱말의 뜻풀이에 알맞은 말을 골라 ○표를 하세요.

4 주거 일정한 곳에 (머물러, 다니며) 삶.

5 정화 불순하거나 (차가운, 더러운) 것을 깨끗하게 함.

6 절실하다 느낌이나 (표정, 생각)이 뼈저리게 강렬한 상태에 있다.

[7-8] 빈칸에 들어갈 알맞은 낱말을 보기 에서 찾아 쓰세요.

보기   점검   제설   조작

7 기자는 그 사건은 (   )이 아니라고 해명하였다.

8 관리자는 시설 (   )을 하며 안전 관리를 하였다.

[9-10] 다음 밑줄 친 낱말과 바꾸어 쓸 수 있는 낱말을 보기 에서 찾아 쓰세요.

보기   검사   거주   날조

9 그는 아파트 옆 동에 주거하고 있는 남자였다.   (   )

10 우리는 범죄 조직이 조작한 사실에 속고 말았다.   (   )

걸린 시간   분   맞은 개수   개

교과 어휘 - 다의어

잡다

① 손으로 움키고 놓지 않다.
예 그는 연필을 잡고 글을 쓰기 시작했다.
② 권한 등을 차지하다.
예 우리는 모임의 주도권을 잡기 위해 사람들을 모았다.
③ 자동차 등을 타기 위하여 세우다.
예 택시를 잡으려고 큰길로 나갔다.

줄다

① 물체의 길이나 넓이, 부피 등이 본디보다 작아지다.
예 찬물로 빨래를 했더니 옷이 많이 줄었다.
② 수나 분량이 본디보다 적어지다.
예 이번 달은 수입이 줄어서 가계부가 적자이다.
③ 재주나 능력, 실력 등이 본디보다 못하게 되다.
예 운동을 하지 않았더니 달리기 실력이 줄었다.

교과 어휘 - 동음이의어

사고¹
思 생각할 사 | 考 생각할 고

생각하고 궁리함.
예 사고 능력을 키우기 위해서는 독서가 중요하다.

사고²
事 일 사 | 故 까닭 고

뜻밖에 일어난 불행한 일.
예 그는 예전에 큰 사고를 당한 뒤 모든 일에 더 조심했다.

실례¹
失 잃을 실 | 禮 예도 례

말이나 행동이 예의에 벗어남.
예 부모님은 아이가 실례를 범해서 죄송하다고 함께 사과하였다.

실례²
實 열매 실 | 例 법식 례

구체적인 실제의 보기.
예 그의 병은 심장병의 좋은 실례라고 볼 수 있다.

1-2 밑줄 친 낱말의 뜻으로 알맞은 것의 기호를 쓰세요.

1 열심히 운동을 했더니 몸무게가 조금 줄었다. ( )

ⓐ 재주나 능력, 실력 등이 본디보다 못하게 되다.
ⓑ 물체의 길이나 넓이, 부피 등이 본디보다 작아지다.

2 그날의 사고는 아무도 예측하지 못한 일이었다. ( )

ⓐ 생각하고 궁리함.
ⓑ 뜻밖에 일어난 불행한 일.

3-5 다음 밑줄 친 낱말의 뜻풀이를 찾아 바르게 선으로 이으세요.

3 나는 친구의 옷깃을 잡았다. •   • ⓐ 권한 등을 차지하다.

4 그들은 강제적으로 정권을 잡았다. •   • ⓑ 손으로 움키고 놓지 않다.

5 우리는 큰길에 나와서 급하게 차를 잡았다. •   • ⓒ 자동차 등을 타기 위하여 세우다.

6-7 빈칸에 들어갈 알맞은 낱말을 **보기** 에서 찾아 쓰세요.

> **보기**   잡고   줄고   사고   실례

6 가게의 요리사가 바뀐 뒤로 손님이 계속 ( ) 있다.

7 그런 좁은 ( )는 문제 해결에 전혀 도움이 되지 않는다.

8-9 다음 뜻풀이에 알맞은 낱말을 **보기** 에서 찾아 기호를 쓰세요.

> **보기** 윤하: 지민아, 어른께 사과하는 방법의 ⓐ실례를 들어 보겠니?
> 지민: "죄송해요, 제가 아저씨께 ⓑ실례를 범했어요."라고 하면 어떨까요?

8 구체적인 실제의 보기. ( )

9 말이나 행동이 예의에 벗어남. ( )

걸린 시간   분   맞은 개수   개

심화 어휘 - 주제별 속담

★ 사람의 심리와 행동

구더기 무서워 장 못 담글까	다소 방해되는 것이 있다 하더라도 마땅히 할 일은 하여야 함을 이르는 말. 예 '구더기 무서워 장 못 담글까'라는 말처럼, 사소한 실수가 두려워서 아예 일을 시작하지 못하는 것은 어리석은 일이다.
금강산도 식후경	아무리 재미있는 일이라도 배가 불러야 흥이 나지 배가 고파서는 아무 일도 할 수 없음을 이르는 말. 예 금강산도 식후경이라고 먼저 밥부터 챙겨 먹고 일을 합시다.
사촌이 땅을 사면 배가 아프다	남이 잘되는 것을 기뻐해 주지는 않고 오히려 질투하고 시기하는 경우를 이르는 말. 예 사촌이 땅을 사면 배가 아프다고, 친구가 잘되는 것을 보니 부러워서 밥맛도 없었다.

심화 어휘 - 주제별 관용어

★ 말과 관련된 관용어

말머리를 자르다	상대방이 말하는 도중에 말을 중지시키다. 예 엄마는 내 말머리를 자르고 말씀을 시작하셨다.
말을 맞추다	다른 사람과 말의 내용이 다르지 않게 하다. 예 나는 친구들과 발표를 잘하려고 미리 말을 맞추어 보았다.
말을 삼키다	하려던 말을 그만두다. 예 나는 너무 놀라 말을 삼키고 말았다.
말을 잃다	놀라거나 어이가 없어 말이 나오지 않다. 예 그는 우리의 대답에 말을 잃고 어이없어 하였다.

확인 학습

1-3 다음 관용어와 그 뜻풀이를 바르게 선으로 이으세요.

1 말을 맞추다 •

2 말을 삼키다 •

3 말을 잃다 •

• ㉠ 하려던 말을 그만두다.

• ㉡ 놀라거나 어이가 없어 말이 나오지 않다.

• ㉢ 다른 사람과 말의 내용이 다르지 않게 하다.

4-5 다음 뜻풀이에 알맞은 속담을 보기 에서 찾아 기호를 쓰세요.

> 보기 ㉠ 금강산도 식후경
> ㉡ 구더기 무서워 장 못 담글까
> ㉢ 사촌이 땅을 사면 배가 아프다

4 다소 방해되는 것이 있다 하더라도 마땅히 할 일은 하여야 함을 이르는 말. ( )

5 남이 잘되는 것을 기뻐해 주지는 않고 오히려 질투하고 시기하는 경우를 ( ) 이르는 말.

6-7 빈칸에 들어갈 알맞은 낱말을 보기 에서 찾아 쓰세요.

> 보기 금강산 김치 백두산 장

6 '( )도 식후경'이라고 배가 고프니 좋은 경치를 보아도도 즐겁지 않았다.

7 '구더기 무서워 ( ) 못 담글까'라는 말처럼 작은 실패를 두려워한다면 어떤 일에 도 도전할 수 없는 법이다.

8 다음 상황에 알맞은 관용어를 골라 ○표를 하세요.

> 나는 거짓말을 했다고 친구들에게 오해를 받고 있었다. 그것이 사실이 아니라고 말하 려고 하는데, 다른 아이가 갑자기 내 말머리를 (자르고, 묶고) 자기 이야기만 하기 시작 했다. 나는 속이 상했지만 일단 말을 (삼키고, 맞추고) 기다렸다.

걸린 시간 분   맞은 개수 개

🐛 **교과 어휘** – 한자어

국어
주목
注 물댈 주 | 目 눈 목

관심을 가지고 주의 깊게 살핌.
예 학생들은 선생님의 수업에 **주목**을 하였다.

➤유의어 **주시** 어떤 목표물에 주의를 집중하여 봄.

국어
중추
中 가운데 중 | 樞 지도리 추

사물의 중심이 되는 중요한 부분.
예 젊은이들은 사회의 **중추**를 이루고 있다.

사회
증진
增 더할 증 | 進 나아갈 진

기운이나 세력이 점점 더 늘어 가고 나아감.
예 아이들의 건강 **증진**을 위해 노력하였다.

➤반의어 **감퇴** 기운이나 세력이 줄어 전보다 못하여 감.

사회
지정
指 가리킬 지 | 定 정할 정

① 가리키어 확실하게 정함.
예 각자 **지정** 좌석에 앉으라고 하였다.
② 관공서, 학교, 회사, 개인 등이 어떤 것에 특정한 자격을 줌.
예 우리 마을이 관광 중심지로 **지정**을 받았다.

➤유의어 **선정** 여럿 가운데서 어떤 것을 뽑아 정함.

과학
지지
支 지탱할 지 | 持 가질 지

어떤 사람이나 단체의 정책·의견에 찬동하여 이를 위하여 힘을 씀.
예 그는 우리들의 **지지**를 받아 당선되었다.

➤유의어 **뒷받침** 뒤에서 지지하고 도와주는 일.
➤어휘 쏙 **찬동** 어떤 행동이나 견해가 옳거나 좋다고 판단하여 뜻을 같이함.

국어
진로
進 나아갈 진 | 路 길 로

앞으로 나아갈 길.
예 나는 **진로**를 상담하러 선생님께 갔다.

➤유의어 **장래** 다가올 앞날.

국어
진압
鎭 누를 진 | 壓 누를 압

강압적인 힘으로 억눌러 진정시킴.
예 화재 **진압**을 위해 소방관들이 노력했다.

국어
참신하다
斬 벨 참 | 新 새로울 신

새롭고 산뜻하다.
예 그의 **참신**한 생각에 모두 동의했다.

➤유의어 **새롭다** 생생하고 산뜻하게 느껴지는 맛이 있다.

[1-3] 다음 낱말과 그 뜻풀이를 바르게 선으로 이으세요.

1 중추 •

2 지지 •

3 진로 •

• ㉠ 앞으로 나아갈 길.

• ㉡ 사물의 중심이 되는 중요한 부분.

• ㉢ 어떤 사람이나 단체의 정책 · 의견에 찬동하여 이를 위하여 힘을 씀.

[4-6] 다음 낱말의 뜻풀이에 알맞은 말을 골라 ○표를 하세요.

4 참신하다 (새롭고, 밝고) 산뜻하다.

5 주목 (느낌, 관심)을 가지고 주의 깊게 살핌.

6 진압 강압적인 힘으로 (받들어, 억눌러) 진정시킴.

[7-9] 빈칸에 들어갈 알맞은 낱말을 보기 에서 찾아 쓰세요.

> 보기
>
> 주목   증진   지정   진압

7 우리는 그가 (   )한 장소로 모였다.

8 나는 수업 시간 동안 선생님의 말씀에 (   )하였다.

9 엄마는 아이들의 식욕 (   )을 위해 영양제를 사셨다.

10 보기 의 밑줄 친 낱말과 뜻이 반대인 낱말은 무엇인가요?

> 보기
>
> 우리 반은 기억력 증진을 위해 날마다 낱말을 외우기로 했다.

① 감퇴   ② 선정   ③ 주시   ④ 진로   ⑤ 확장

 걸린 시간   분   맞은 개수   개

교과 어휘 – 고유어

사회

쟁이다

물건을 차곡차곡 포개어 쌓아 두다.

예 그들은 음식과 물자들을 쟁이고 있었다.

유의어 비축하다 만약의 경우를 대비하여 미리 갖추어 모아 두거나 저축하다.

국어

주눅

기운을 제대로 펴지 못하고 움츠러드는 태도나 성질.

예 나는 친구의 성화에 주눅이 들었다.

국어

줄곧

끊임없이 잇따라.

예 방학 동안 줄곧 학원을 다녔다.

유의어 내내 처음부터 끝까지 계속해서.

국어

지레

어떤 기회나 때가 무르익기 전에 미리.

예 나는 주사에 지레 놀라서 도망쳤다.

유의어 미리 어떤 일이 생기기 전에.

국어

집어삼키다

① 거침없이 삼키다.

예 현수는 고기를 보자마자 집어삼켰다.

② 남의 것을 부당하게 가로채어 제 것으로 만들다.

예 그는 약자들의 재산을 집어삼키려고 하였다.

어휘 쏙 부당하다 이치에 맞지 아니하다.

국어

짓궂다

장난스럽게 남을 괴롭고 귀찮게 하여 달갑지 아니하다.

예 언니는 나를 따라다니며 짓궂게 놀렸다.

유의어 심술궂다 남을 성가시게 하는 것을 좋아하거나 남이 잘못되는 것을 좋아하는 마음이 매우 많다.

국어

짜릿하다

심리적으로 자극을 받아 몹시 흥분되고 떨리는 듯하다.

예 우리 팀이 승리한 순간은 짜릿했다.

국어

짜임새

① 짜인 모양새.

예 이 옷감은 짜임새가 촘촘하고 질이 좋다.

② 글이나 이야기가 체계를 갖추어 연관되어 있는 상태.

예 오늘 본 영화는 짜임새가 좋고 주제가 확실했다.

유의어 구성 몇 가지 부분이나 요소들을 모아서 일정한 전체를 짜 이룸.

확인학습

1-3 다음 뜻풀이에 알맞은 낱말을 **보기** 에서 찾아 쓰세요.

> **보기**   쟁이다   짓궂다   집어삼키다   짜릿하다

1 물건을 차곡차곡 포개어 쌓아 두다.   (   )

2 장난스럽게 남을 괴롭고 귀찮게 하여 달갑지 아니하다.   (   )

3 심리적으로 자극을 받아 몹시 흥분되고 떨리는 듯하다.   (   )

4-6 다음 밑줄 친 낱말과 바꾸어 쓸 수 있는 낱말을 찾아 바르게 선으로 이으세요.

4 그의 말이 내 머릿속에 <u>줄곧</u> 맴돌았다.   •   • ㉠ 구성

5 우리는 질문을 듣기 전에 <u>지레</u> 대답했다.   •   • ㉡ 내내

6 소설의 <u>짜임새</u>는 처음부터 생각해야 한다.   •   • ㉢ 미리

7-9 다음 낱말이 들어갈 문장을 찾아 바르게 선으로 이으세요.

7   주눅   •   • ㉠ 그들은 (   ) 큰길을 따라 걸었다.

8   줄곧   •   • ㉡ 아이는 엄마의 야단에 (   )이/가 들었다.

9   지레   •   • ㉢ 선생님은 (   ) 포기하려는 아이들을 격려하셨다.

10 **보기** 의 밑줄 친 낱말의 뜻풀이로 알맞은 것의 기호를 쓰세요.

> **보기**   강대국들은 작은 나라의 영토를 <u>집어삼키려고</u> 하였다.

㉠ 거침없이 삼키다.
㉡ 남의 것을 부당하게 가로채어 제 것으로 만들다.

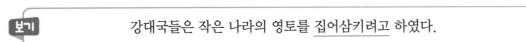

걸린 시간   분   맞은 개수   개

심화 어휘 – 헷갈리기 쉬운 낱말

어리다

나이가 상대적으로 적거나 얼마 되지 않다.

예 내 동생은 나이가 어리지만 똘똘하다.

어리석다

슬기롭지 못하고 둔하다.

예 그는 과거의 행동이 어리석었다고 후회하였다.

여위다

몸의 살이 빠져 파리하게 되다.

예 그는 하루하루 여위어 가고 있었다.

여의다

① 부모나 사랑하는 사람이 죽어서 이별하다.

예 그는 어릴 때 부모님을 여의고 혼자 자랐다고 했다.

② 부모가 자식을 짝지어 보내다.

예 할머니는 막내딸까지 여의고 나서 홀가분하게 사신다.

웬

① 어찌 된.

예 엄마는 웬 걱정을 그렇게 하는지 모를 일이다.

② 어떠한.

예 골목에 웬 아이가 기다리고 있었다.

왠

'왜인지'의 준말인 '왠지'라고 쓸 때만 쓰는 말.

잇다

두 끝을 맞대어 붙이다.

예 이 길은 우리 마을과 저 마을을 잇는 길이다.

잊다

기억하지 못하거나 기억해 내지 못하다.

예 나는 휴대폰을 둔 곳을 잊고 있었다.

1-3 다음 낱말과 그 뜻풀이를 바르게 선으로 이으세요.

1 어리다 •   • ㉠ 두 끝을 맞대어 붙이다.

2 여의다 •   • ㉡ 부모나 사랑하는 사람이 죽어서 이별하다.

3 잇다 •   • ㉢ 나이가 상대적으로 적거나 얼마 되지 않다.

4-6 빈칸에 들어갈 알맞은 낱말을 보기 에서 찾아 쓰세요.

보기   어리고   어리석고   여위고   여의고

4 그는 자식들을 차례대로 (   ) 고향에 왔다.

5 후배는 나보다 세 살이 (   ) 순진한 성격이었다.

6 나는 내가 (   ) 바보 같은 결정을 했다는 것을 알았다.

7-8 다음 문장에 알맞은 낱말을 골라 ○표를 하세요.

7 그는 고생을 했는지 많이 (여위어, 여의어) 있었다.

8 우리는 과거를 (잇고, 잊고) 미래를 향해 나아가야 한다.

9-10 다음 글에서 잘못된 부분을 찾아 바르게 고쳐 쓰세요.

학교에서 돌아와 보니 우리 가게 앞에는 왠 사람들이 몰려 있었다. 나는 그 사람들이 웬지 나와 관련이 있을지도 모른다는 생각이 들어서 불안해졌다.

9 (   ) ➔ (   )

10 (   ) ➔ (   )

걸린 시간   분   맞은 개수   개

20회

교과 어휘 – 한자어

사회

창설
創 비롯할 창 | 設 베풀 설

기구, 단체 등을 처음으로 설치하거나 설립함.
예 그는 새로운 협회의 창설에 참여하였다.

▶유의어 창립 기관이나 단체를 새로 만들어 세움.

사회

채취
採 캘 채 | 取 취할 취

풀, 나무, 광석 등을 찾아 베거나 캐거나 하여 얻어 냄.
예 우리는 산에서 약초 채취를 하였다.

▶유의어 채집 널리 찾아서 얻거나 캐거나 잡아 모으는 일.

과학

첨단
尖 뾰족할 첨 | 端 끝 단

유행이나 기술의 시대적인 변화에서 가장 앞서 나감.
예 우리는 첨단 기술 개발에 힘쓰고 있다.

국어

체결
締 맺을 체 | 結 맺을 결

계약이나 조약을 공식적으로 맺음.
예 나는 계약 체결을 위해 많은 노력을 하였다.

▶어휘 쏙 조약 국가 간의 문서에 의한 명시적 합의.

과학

체계적
體 몸 체 | 系 이을 계 | 的 과녁 적

일정한 원리에 따라서 낱낱의 부분이 짜임새 있게 조직되어 통일된 전체를 이루는. 또는 그런 것.
예 우리는 자료를 체계적으로 정리하였다.

국어

추론
推 밀 추 | 論 논할 론

미루어 생각하여 논함.
예 그의 추론은 확실한 근거가 있었다.

▶유의어 추리 알고 있는 것을 바탕으로 알지 못하는 것을 미루어서 생각함.

과학

출품
出 날 출 | 品 물건 품

전시회 등에 작품이나 물품을 내어놓음.
예 그녀는 전시회에 그림을 출품했다.

국어

쾌적하다
快 쾌할 쾌 | 適 맞을 적

기분이 상쾌하고 즐겁다.
예 산에 올라 쾌적한 공기를 마셨다.

▶유의어 상쾌하다 느낌이 시원하고 산뜻하다.

[1-3] 다음 낱말과 그 뜻풀이를 바르게 선으로 이으세요.

1 첨단 •

• ㉠ 계약이나 조약을 공식적으로 맺음.

2 체결 •

• ㉡ 전시회 등에 작품이나 물품을 내어놓음.

3 출품 •

• ㉢ 유행이나 기술의 시대적인 변화에서 가장 앞서 나감.

[4-6] 다음 낱말의 뜻풀이에 알맞은 말을 골라 ○표를 하세요.

4 추론 미루어 (풀이하여, 생각하여) 논함.

5 쾌적하다 기분이 (상쾌하고, 따분하고) 즐겁다.

6 창설 기구, 단체 등을 처음으로 (작성, 설치)하거나 설립함.

[7-8] 빈칸에 들어갈 알맞은 낱말을 보기 에서 찾아 쓰세요.

> 보기 첨단   체결   체계적

7 그는 꼼꼼한 성격이라 계획도 (   )이었다.

8 우리 회사에서 출시한 신제품은 (   ) 기술로 만들어졌다.

[9-10] 다음 밑줄 친 낱말과 바꾸어 쓸 수 있는 낱말을 보기 에서 찾아 쓰세요.

> 보기 창립   채집   추리

9 영주는 내가 화가 난 이유를 <u>추론</u>하였다. (   )

10 엄마는 여기저기를 다니시며 봄나물을 <u>채취</u>하셨다. (   )

걸린 시간 [   ] 분   맞은 개수 [   ] 개

 교과 어휘 - 고유어

쨍쨍하다

햇볕 등이 몹시 내리쬐는 데가 있다.

예 해가 쨍쨍해서 눈을 뜰 수가 없었다.

쩌렁거리다

목소리가 크고 높게 울리는 소리가 자꾸 나다.

예 그는 큰소리로 쩌렁거리며 말을 했다.

촘촘하다

틈이나 간격이 매우 좁거나 작다.

예 우리는 논에 촘촘하게 모를 심었다.

> **유의어** 빽빽하다 사이가 촘촘하다.
> **반의어** 성기다 물건의 사이가 뜨다.

출렁이다

물 등이 큰 물결을 이루며 흔들리다.

예 멀리서 파도가 출렁이는 소리가 들렸다.

치솟다

① 위쪽으로 힘차게 솟다.

예 마을로 번진 불길이 하늘로 치솟았다.

② 감정, 생각 등이 세차게 복받쳐 오르다.

예 나는 화가 치솟아서 버럭 소리를 질렀다.

> **유의어** 솟구치다 아래에서 위로, 또는 안에서 밖으로 세차게 솟아오르다.

탈바꿈하다

원래의 모양이나 형태를 바꾸다.

예 그는 멋진 성인의 모습으로 탈바꿈하였다.

턱없다

① 근거가 없거나 이치에 맞지 않다.

예 친구는 나에게 턱없는 거짓말을 했다.

② 수준이나 분수에 맞지 아니하다.

예 나는 턱없는 실력이지만 대회에 도전했다.

> **어휘 쏙** 분수 자기 신분에 맞는 한도.

토라지다

마음에 들지 아니하고 뒤틀리어서 싹 돌아서다.

예 나는 완전히 토라져서 대답도 하지 않았다.

> **유의어** 삐치다 성나거나 못마땅해서 마음이 토라지다.

확인학습

1-3 다음 뜻풀이에 알맞은 낱말을 보기에서 찾아 쓰세요.

> 보기
> 쨍쨍하다   출렁이다   탈바꿈하다   토라지다

1 원래의 모양이나 형태를 바꾸다.   (   )

2 물 등이 큰 물결을 이루며 흔들리다.   (   )

3 마음에 들지 아니하고 뒤틀리어서 싹 돌아서다.   (   )

4-6 다음 밑줄 친 낱말과 바꾸어 쓸 수 있는 낱말을 찾아 바르게 선으로 이으세요.

4 방학인데 촘촘한 계획 때문에 바빴다.   •   • ㉠ 솟구치는

5 동생은 토라진 얼굴로 방으로 들어갔다. •   • ㉡ 빽빽한

6 나는 화가 치솟는 것을 참을 수가 없었다. •   • ㉢ 삐친

7-9 다음 낱말이 들어갈 문장을 찾아 바르게 선으로 이으세요.

7 쨍쨍한   •   • ㉠ 우리의 (   ) 이야기에 모두 웃었다.

8 턱없는   •   • ㉡ (   ) 태양에 나는 숨이 막히는 듯했다.

9 쩌렁거리는 •   • ㉢ 그는 (   ) 목소리로 크게 우리를 불렀다.

10 보기의 밑줄 친 낱말과 뜻이 반대인 낱말은 무엇인가요?

> 보기
> 그는 촘촘한 그물을 던져서 물고기들을 잡았다.

① 꼼꼼한   ② 빽빽한   ③ 성긴   ④ 정밀한   ⑤ 치밀한

걸린 시간 (   ) 분   맞은 개수 (   ) 개

▶ 정답 32쪽

심화 어휘 – 주제별 한자 성어

★ 많거나 적은 양

구우일모
九 아홉 구 | 牛 소 우 | 一 하나 일 | 毛 털 모

아홉 마리의 소 가운데 박힌 하나의 털이란 뜻으로, 매우 많은 것 가운데 극히 적은 수를 이르는 말.
예 그들의 범죄 중 밝혀진 것은 **구우일모**에 지나지 않았다.

다다익선
多 많을 다 | 多 많을 다 | 益 더할 익 | 善 좋을 선

많으면 많을수록 더욱 좋음.
예 **다다익선**이지만 신발이 너무 많으니 놓을 곳이 없어서 곤란했다.

우후죽순
雨 비 우 | 後 뒤 후 | 竹 대나무 죽 | 筍 죽순 순

비가 온 뒤에 여기저기 솟는 죽순이라는 뜻으로, 어떤 일이 한때에 많이 생겨남을 이르는 말.
예 베트남 음식이 유행하니 쌀국수 음식점이 **우후죽순**으로 생겼다.

★ 사람의 성품과 태도

외유내강
外 바깥 외 | 柔 부드러울 유 | 內 안 내 | 剛 굳셀 강

겉으로는 부드럽고 순하게 보이나 속은 곧고 굳셈.
예 그는 **외유내강**하여 작은 일에 흔들리지 않았다.

우유부단
優 넉넉할 우 | 柔 부드러울 유 | 不 아닐 부 | 斷 끊을 단

어물어물 망설이기만 하고 결단성이 없음.
예 나는 **우유부단**한 성격 때문에 결정을 친구에게 미루고 있었다.
어휘쏙 결단성 결정적인 판단을 하거나 단정을 내릴 수 있는 능력이 있는 성질.

임기응변
臨 임할 임 | 機 틀 기 | 應 응할 응 | 變 변할 변

그때그때 처한 사태에 맞추어 즉각 그 자리에서 결정하거나 처리함.
예 우리는 **임기응변**으로 위기 상황에 대응했다.

자포자기
自 스스로 자 | 暴 사나울 포 | 自 스스로 자 | 棄 버릴 기

절망에 빠져 자신을 스스로 포기하고 돌아보지 아니함.
예 나는 시합에 졌어도 **자포자기**하지 않고 다시 연습했다.

 확인학습

▼ 정답 32쪽

1-3 다음 한자 성어와 그 뜻풀이를 바르게 선으로 이으세요.

1 다다익선 •   • ㉠ 많으면 많을수록 더욱 좋음.

2 외유내강 •   • ㉡ 어물어물 망설이기만 하고 결단성이 없음.

3 우유부단 •   • ㉢ 겉으로는 부드럽고 순하게 보이나 속은 곧고 굳셈.

4-5 다음 한자 성어의 뜻풀이에 알맞은 말을 골라 ○표를 하세요.

4 자포자기   절망에 빠져 자신을 스스로 (설득, 포기)하고 돌아보지 아니함.

5 임기응변   그때그때 처한 사태에 맞추어 즉각 그 자리에서 (회의, 결정)하거나 처리함.

6-8 빈칸에 들어갈 알맞은 한자 성어를 보기 에서 찾아 쓰세요.

> 보기   구우일모   우유부단   우후죽순   임기응변

6 나는 (   )에 능해서 난처한 상황에 잘 대처하였다.

7 새로운 종교를 믿는 사람들이 (   )처럼 나타나고 있었다.

8 그가 쓴 돈은 그가 가진 재산에 비하면 (   )에 지나지 않았다.

9 다음 밑줄 친 상황을 표현하기에 알맞은 한자 성어는 무엇인가요?

> 민수: 이제 더 이상은 뛰지 못하겠어. 어떻게 되든 난 여기서 그만둘래.
> 정은: 결승점이 얼마 남지 않았어. 포기하지 말고 조금만 더 힘내서 같이 뛰어 보자.

① 구우일모   ② 외유내강   ③ 우유부단   ④ 임기응변   ⑤ 자포자기

 걸린 시간 ⬜ 분   맞은 개수 ⬜ 개

21회

공부한 날 ◯월 ◯일

교과 어휘 - 한자어

사회

탄식
歎 탄식할 탄 | 息 숨쉴 식

한탄하여 한숨을 쉼. 또는 그 한숨.
예 그 말을 듣자 저절로 **탄식**이 나왔다.

유의어 한탄 원통하거나 뉘우치는 일에 대해 한숨을 쉬며 탄식함. 또는 그 한숨.

국어

토종
土 흙 토 | 種 씨 종

본디부터 그곳에서 나는 종자.
예 어항에서 **토종** 물고기를 길렀다.

어휘 쏙 종자 식물에서 나온 씨 또는 씨앗.

사회

통제
統 거느릴 통 | 制 절제할 제

일정한 방침이나 목적에 따라 행위를 제한하거나 제약함.
예 그곳은 출입 **통제**를 하고 있었다.

유의어 규제 규칙이나 규정에 의하여 일정한 한도를 정하거나 정한 한도를 넘지 못하게 막음.

과학

특성
特 특별할 특 | 性 성품 성

일정한 사물에만 있는 특수한 성질.
예 이 식물은 추위에 강한 **특성**을 가지고 있다.

유의어 특징 다른 것에 비하여 특별히 눈에 뜨이는 점.

국어

특유
特 특별할 특 | 有 있을 유

일정한 사물만이 특별히 갖추고 있음.
예 그는 **특유**의 웃음을 지으며 대답했다.

유의어 고유 본래부터 가지고 있는 특유한 것.

국어

패기
霸 으뜸 패 | 氣 기운 기

어떤 어려운 일이라도 해내려는 굳센 기상이나 정신.
예 우리는 승리를 예상하며 **패기**가 넘쳤다.

어휘 쏙 기상 사람이 타고난 기개나 마음씨.

국어

편견
偏 치우칠 편 | 見 볼 견

공정하지 못하고 한쪽으로 치우친 생각.
예 할아버지께서는 외국인에 대한 **편견**이 심하셨다.

사회

편찬
編 엮을 편 | 纂 모을 찬

여러 가지 자료를 모아 체계적으로 정리하여 책을 만듦.
예 출판사에서 새로운 책을 **편찬**하였다.

1-3 다음 낱말과 그 뜻풀이를 바르게 선으로 이으세요.

1 토종 •   • ㉠ 본디부터 그곳에서 나는 종자.

2 패기 •   • ㉡ 공정하지 못하고 한쪽으로 치우친 생각.

3 편견 •   • ㉢ 어떤 어려운 일이라도 해내려는 굳센 기상이나 정신.

4-6 다음 낱말의 뜻풀이에 알맞은 말을 골라 ○표를 하세요.

4 특성 일정한 사물에만 있는 (특수한, 평범한) 성질.

5 특유 일정한 사물만이 특별히 (버리고, 갖추고) 있음.

6 편찬 여러 가지 자료를 모아 체계적으로 (정리하여, 흩뿌려) 책을 만듦.

7-8 빈칸에 들어갈 알맞은 낱말을 보기 에서 찾아 쓰세요.

보기   토종   편견   편찬

7 그는 우리나라의 (   ) 음식만 좋아했다.

8 우리는 다른 사람들에게 함부로 (   )을 가지면 안 된다.

9-10 다음 밑줄 친 낱말과 바꾸어 쓸 수 있는 낱말을 보기 에서 찾아 쓰세요.

보기   규제   특징   한탄

9 나는 친구도 없는 내 신세를 탄식하였다.   (   )

10 학교에서는 수업 시간 중 휴대폰 사용을 통제하였다.   (   )

걸린 시간   분   맞은 개수   개

교과 어휘 - 다의어

지키다
① 재산, 이익, 안전 등을 잃지 않도록 보호하거나 감시하여 막다.
📖 군인들은 나라를 **지키기** 위해 최선을 다한다.
② 길목이나 통과 지점을 주의를 기울여 살피다.
📖 아버지는 골목 앞을 **지키고** 서 계셨다.
③ 규정, 약속 등을 어기지 아니하고 그대로 실행하다.
📖 사람이 많은 곳에서는 질서를 **지켜야** 한다.

찍다
① 바닥에 대고 눌러서 자국을 내다.
📖 엄마는 엽서에 도장을 **찍으셨다**.
② 물건의 끝에 가루나 액체 등을 묻히다.
📖 부침개를 간장에 **찍어** 먹었다.
③ 어떤 대상을 촬영기로 비추어 그 모양을 옮기다.
📖 여행을 가서 사진을 많이 **찍었다**.

교과 어휘 - 동음이의어

양식¹
養 기를 양 | 殖 번성할 식
물고기나 해조, 버섯 등을 사람이 기름.
📖 삼촌은 바다에서 직접 굴을 **양식**하신다.
어휘쏙 **해조** 바다에서 나는 식물의 한 종류를 통틀어 이르는 말.

양식²
糧 양식 양 | 食 먹을 식
살기 위해 필요한 사람의 먹을거리.
📖 일 년 먹을 **양식** 걱정은 하지 않아도 된다.

의지¹
意 뜻 의 | 志 뜻 지
어떠한 일을 이루고자 하는 마음.
📖 그는 꿈을 이루려는 **의지**가 강했다.

의지²
依 의지할 의 | 支 지탱할 지
다른 것에 마음을 기대어 도움을 받음. 또는 그렇게 하는 대상.
📖 엄마는 항상 **의지**가 되던 딸을 그리워했다.

1-2 **밑줄 친 낱말의 뜻으로 알맞은 것의 기호를 쓰세요.**

1 현수는 약속 시간을 잘 <u>지키는</u> 친구였다. ( )

㉠ 길목이나 통과 지점을 주의를 기울여 살피다.
㉡ 규정, 약속 등을 어기지 아니하고 그대로 실행하다.

2 그는 이번 일을 꼭 완수하겠다는 <u>의지</u>를 보였다. ( )

㉠ 어떠한 일을 이루고자 하는 마음.
㉡ 다른 것에 마음을 기대어 도움을 받음. 또는 그렇게 하는 대상.

3-5 **다음 밑줄 친 낱말의 뜻풀이를 찾아 바르게 선으로 이으세요.**

3 붓 끝에 물감을 <u>찍었다</u>. •

• ㉠ 바닥에 대고 눌러서 자국을 내다.

4 나는 계약서에 도장을 <u>찍었다</u>. •

• ㉡ 물건의 끝에 가루나 액체 등을 묻히다.

5 우리는 다함께 사진을 <u>찍었다</u>. •

• ㉢ 어떤 대상을 촬영기로 비추어 그 모양을 옮기다.

6-7 **빈칸에 들어갈 알맞은 낱말을 보기 에서 찾아 쓰세요.**

> 보기   지키는   찍는   양식   의지

6 할머니는 지팡이에 ( )하여 걸어 다니셨다.

7 그는 마을을 도둑들로부터 ( ) 일에 앞장섰다.

8-9 **다음 뜻풀이에 알맞은 낱말을 보기 에서 찾아 기호를 쓰세요.**

> 보기 현주: 산속에 밤이나 도토리 등 우리가 먹는 ㉠양식이 많이 자란다는 걸 아니?
> 은서: 응, 알고 있어. 그리고 사람들은 산에서 버섯을 ㉡양식하기도 하잖아.

8 살기 위해 필요한 사람의 먹을거리. ( )

9 물고기나 해조, 버섯 등을 사람이 기름. ( )

걸린 시간 [ ] 분   맞은 개수 [ ] 개

심화 어휘 - 주제별 속담

★ 겸손한 태도

뛰는 놈 위에 나는 놈 있다	아무리 재주가 뛰어나다 하더라도 그보다 더 뛰어난 사람이 있다는 뜻으로, 스스로 뽐내는 사람을 경계하여 이르는 말. 예 뛰는 놈 위에 나는 놈 있다고, 내가 가장 이득을 많이 본 줄 알았는데 더한 사람이 있을 줄 몰랐다.

벼 이삭은 익을수록 고개를 숙인다

교양이 있고 수양을 쌓은 사람일수록 겸손하고 남 앞에서 자기를 내세우려 하지 않는다는 것을 이르는 말.

예 언제나 겸손하신 선생님을 보면서 벼 이삭은 익을수록 고개를 숙인다라는 말을 실감한다.

오르지 못할 나무는 쳐다보지도 마라

자기의 능력 밖의 불가능한 일에 대해서는 처음부터 욕심을 내지 않는 것이 좋다는 말.

예 오르지 못할 나무는 쳐다보지도 말라고 했는데, 그 친구와 만나고 싶다니 너무 욕심을 부렸구나.

심화 어휘 - 주제별 관용어

★ 발과 관련된 관용어

발걸음을 재촉하다

길을 갈 때에 빨리 서둘러 가다.

예 금방 어두워질 것 같아서 발걸음을 재촉했다.

발길이 멀어지다

서로 찾아오거나 찾아가는 것이 뜸해지다.

예 친구와 싸우고 난 뒤로 서로 발길이 멀어졌다.

발 벗고 나서다

적극적으로 나서다.

예 그는 봉사 활동에 발 벗고 나섰다.

발이 저리다

지은 죄가 있어 마음이 조마조마하거나 편안치 아니하다.

예 나는 제 발이 저려서 벌벌 떨고 있었다.

1-3 다음 관용어와 그 뜻풀이를 바르게 선으로 이으세요.

1 발이 저리다 •
• ㉠ 적극적으로 나서다.

2 발 벗고 나서다 •
• ㉡ 서로 찾아오거나 찾아가는 것이 뜸해지다.

3 발길이 멀어지다 •
• ㉢ 지은 죄가 있어 마음이 조마조마하거나 편안치 아니하다.

4-5 다음 뜻풀이에 알맞은 속담을 보기 에서 찾아 기호를 쓰세요.

보기 ㉠ 뛰는 놈 위에 나는 놈 있다
㉡ 벼 이삭은 익을수록 고개를 숙인다
㉢ 오르지 못할 나무는 쳐다보지도 마라

4 스스로 뽐내는 사람을 경계하여 이르는 말.   (   )

5 교양이 있고 수양을 쌓은 사람일수록 겸손하고 남 앞에서 자기를 내세우   (   )
려 하지 않는다는 것을 이르는 말.

6-7 빈칸에 들어갈 알맞은 낱말을 보기 에서 찾아 쓰세요.

보기   나는   노는   오르지   자르지

6 '뛰는 놈 위에 (   ) 놈 있다'라는 말처럼, 다른 동네에 가 보니 나보다 운동을 잘하
는 아이들이 엄청 많았다.

7 '(   ) 못할 나무는 쳐다보지도 마라'라고 했지만, 우승은 불가능한 꿈이 아니기 때
문에 계속해서 도전할 것이다.

8 다음 상황에 알맞은 관용어를 골라 ○표를 하세요.

우리는 이웃 마을에 홍수가 났다는 소식을 듣고 도움을 주기 위해 (발 벗고, 신 벗고)
나섰다. 급한 마음에 서로서로 발걸음을 (끊으며, 재촉하며) 달려갔다.

걸린 시간   분   맞은 개수   개

 교과 어휘 – 한자어

사회

평안
平 평평할 평 | 安 편안할 안

걱정이나 탈이 없음. 또는 무사히 잘 있음.

예 그때 이후로 나는 마음의 평안을 찾았다.

반의어 불안 마음이 편하지 아니하고 조마조마함.

국어

포복
匍 길 포 | 匐 길 복

배를 땅에 대고 김.

예 우리는 포복 자세로 총을 쏘며 훈련했다.

사회

폭격
爆 터질 폭 | 擊 칠 격

비행기에서 폭탄을 떨어뜨려 적의 군대나 시설물을 파괴하는 일.

예 적군에게 폭격을 당해서 피해가 컸다.

과학

표본
標 표할 표 | 本 근본 본

본보기로 삼을 만한 것.

예 그의 행동은 우리들의 표본이 되었다.

어휘 쏙 본보기 본을 받을 만한 대상.

국어

품격
品 물건 품 | 格 격식 격

사람 된 바탕과 타고난 성품.

예 그녀는 타고난 품격을 지니고 있다.

유의어 기품 인격이나 작품에서 드러나는 고상한 품격.

국어

풍광
風 바람 풍 | 光 빛 광

산이나 바다 등의 자연이나 지역의 모습.

예 우리는 자연의 풍광을 사진에 담았다.

유의어 풍경 산이나 바다 등의 자연이나 지역의 모습.

국어

함성
喊 소리칠 함 | 聲 소리 성

여러 사람이 함께 외치거나 지르는 소리.

예 우리는 기뻐서 크게 함성을 질렀다.

유의어 고함 크게 부르짖거나 외치는 소리.

사회

해독
解 풀 해 | 讀 읽을 독

① 어려운 문구를 읽어 이해하거나 해석함.

예 선생님은 한문 해독의 전문가이시다.

② 암호나 기호 등을 읽어서 풂.

예 그는 암호 해독을 위해 컴퓨터를 이용했다.

1-3 다음 뜻풀이에 알맞은 낱말을 보기 에서 찾아 쓰세요.

> 보기
>
> 평안   포복   폭격   해독

1 배를 땅에 대고 김.   (   )

2 어려운 문구를 읽어 이해하거나 해석함.   (   )

3 걱정이나 탈이 없음. 또는 무사히 잘 있음.   (   )

4-6 다음 밑줄 친 낱말과 바꾸어 쓸 수 있는 낱말을 찾아 바르게 선으로 이으세요.

4 우리는 큰 소리로 함성을 질렀다.   •   • ㉠ 고함

5 나는 차창 밖의 풍광을 감상하였다.   •   • ㉡ 기품

6 그는 어디서나 품격 있게 행동하였다.   •   • ㉢ 풍경

7-9 다음 낱말이 들어갈 문장을 찾아 바르게 선으로 이으세요.

7 폭격 •   • ㉠ 나는 그를 우등생의 (   )이라고 느꼈다.

8 표본 •   • ㉡ 상형 문자를 열심히 (   )하려 했지만 실패했다.

9 해독 •   • ㉢ 그들은 (   )을 맞아 폐허가 된 마을을 발견했다.

10 보기 의 밑줄 친 낱말과 뜻이 반대인 낱말은 무엇인가요?

> 보기
>
> 내 잘못을 고백하고 나니 마음의 평안을 얻었다.

① 안전   ② 본보기   ③ 불안   ④ 편안   ⑤ 호감

걸린 시간   분   맞은 개수   개

 **교과 어휘** – 고유어

틀어박히다

밖에 나가지 않고 일정한 공간에만 머물러 있다.

예 나는 집에 **틀어박혀서** 나가지 않았다.

판판하다

물건의 표면이 높낮이가 없이 고르고 넓다.

예 우리는 **판판한** 길을 끝없이 달렸다.

포근하다

① 도톰한 물건이 폭신하고 따스하다.

예 **포근한** 담요에 누워 낮잠을 잤다.

② 마음이나 분위기가 보드랍고 아늑하다.

예 그의 **포근한** 미소에 마음이 풀렸다.

>유의어 따뜻하다 ① 덥지 않을 정도로 온도가 알맞게 높다. ② 감정, 태도, 분위기 등이 정답고 포근하다.

풋내기

경험이 없어서 일에 서투른 사람.

예 나는 아직 **풋내기여서** 실수가 많았다.

◀반의어 전문가 어떤 분야를 연구하거나 그 일에 종사하여 그 분야에 상당한 지식과 경험을 가진 사람.

풍기다

① 냄새가 나다. 또는 냄새를 퍼뜨리다.

예 집 안에 맛있는 냄새가 **풍겼다**.

② 어떤 분위기가 나다. 또는 그런 것을 자아내다.

예 그에게서는 인간미가 **풍겼다**.

>유의어 퍼지다 어떤 물질이나 현상 등이 넓은 범위에 미치다.

하릴없다

① 달리 어떻게 할 도리가 없다.

예 나의 잘못이니 꾸중들어도 **하릴없는** 상황이다.

② 조금도 틀림이 없다.

예 신이 나서 노는 모습이 **하릴없는** 개구쟁이였다.

한몫

① 한 사람 앞에 돌아가는 배분.

예 나는 같이 일한 친구에게 **한몫**을 떼어 주었다.

② 한 사람이 맡은 역할.

예 그들은 축제에서 사람들을 모으는 데 **한몫**을 해냈다.

어휘 쏙 배분 몫몫이 별러 나눔.

허겁지겁

조급한 마음으로 몹시 허둥거리는 모양.

예 나는 지각할까 봐 **허겁지겁** 뛰었다.

>유의어 허둥지둥 정신을 차릴 수 없을 만큼 갈팡질팡하며 다급하게 서두르는 모양.

확인 학습

1-3 다음 낱말과 그 뜻풀이를 바르게 선으로 이으세요.

1 판판하다 ·   · ㉠ 조금도 틀림이 없다.

2 포근하다 ·   · ㉡ 도톰한 물건이 폭신하고 따스하다.

3 하릴없다 ·   · ㉢ 물건의 표면이 높낮이가 없이 고르고 넓다.

4-6 다음 낱말의 뜻풀이에 알맞은 말을 골라 ○표를 하세요.

4 한몫   한 사람 앞에 (시작되는, 돌아가는) 배분.

5 풋내기   경험이 없어서 일에 (친숙한, 서투른) 사람.

6 허겁지겁 조급한 마음으로 몹시 (뒤뚱거리는, 허둥거리는) 모양.

7-9 다음 뜻풀이에 알맞은 낱말을 보기 에서 찾아 쓰세요.

보기 | 틀어박혀   판판하게   포근하게   하릴없이

7 엄마는 우리를 (   ) 안아 주셨다.

8 나는 온종일 혼자 방 안에 (   ) 고민을 했다.

9 버스를 놓친 우리는 (   ) 정류장에 서 있을 뿐이었다.

10 보기 의 밑줄 친 낱말의 뜻풀이로 알맞은 것의 기호를 쓰세요.

보기 | 불판에 고기를 굽는 냄새가 온 사방에 풍겼다.

㉠ 냄새가 나다. 또는 냄새를 퍼뜨리다.
㉡ 어떤 분위기가 나다. 또는 그런 것을 자아내다.

 걸린 시간 [   ] 분   맞은 개수 [   ] 개

심화 어휘 – 헷갈리기 쉬운 낱말

저리다

뼈마디나 몸이 오래 눌려서 피가 잘 통하지 못하여 감각이 둔하고 아리다.

예 날씨가 추워지니 손발이 자주 저렸다.

절이다

채소나 생선에 소금기나 식초, 설탕 등이 배어들게 하다.

예 배추를 씻어서 소금물에 절였다.

조리다

양념을 한 고기나 생선 등을 국물에 넣고 바짝 끓여서 양념이 배어들게 하다.

예 식당에서는 고등어를 조려서 반찬을 만들었다.

졸이다

① 국이나 찌개를 담은 그릇을 가열하여 물의 양을 적어지게 하다.

예 찌개를 오래 졸였더니 국물이 없었다.

② 속을 태우다시피 초조해하다.

예 나는 엄마를 기다리면서 가슴을 졸였다.

텃새

일 년 동안 거의 한 지역에서만 살면서 번식하는 새.

예 참새와 같은 텃새들은 지역마다 볼 수 있다.

텃세
勢 형세 세

먼저 자리를 잡은 사람이 뒤에 들어오는 사람을 업신여기는 행동.

예 이 동네는 텃세가 심해서 이사 오는 사람이 별로 없다.

회수
回 돌아올 회 | 收 거둘 수

도로 거두어들임.

예 우리는 지금 회수를 위해 노력하였다.

횟수
回 돌아올 회 | 數 셈 수

돌아오는 차례의 수효.

예 친구와 숙제를 같이 하는 횟수가 늘어났다.

1-3 다음 낱말과 그 뜻풀이를 바르게 선으로 이으세요.

1 텃새 •   • ㉠ 도로 거두어들임.

2 회수 •   • ㉡ 돌아오는 차례의 수효.

3 횟수 •   • ㉢ 일 년 동안 거의 한 지역에서만 살면서 번식
                              하는 새.

4-6 빈칸에 들어갈 알맞은 낱말을 보기 에서 찾아 쓰세요.

> 보기   저리고   절이고   조려서   졸여서

4 설탕물을 (   ) 시럽을 만들었다.

5 오래 앉아 있었더니 다리가 (   ) 몸이 뻐근했다.

6 오이를 무치려면 먼저 오이를 소금에 (   ) 양념을 해야 한다.

7-8 다음 문장에 알맞은 낱말을 골라 ○표를 하세요.

7 전학을 간 학교에 (텃새, 텃세)를 부리는 아이들이 있었다.

8 그 가수는 공연의 (회수, 횟수)와 규모를 늘릴 계획이라고 말했다.

9-10 다음 글에서 잘못된 부분을 찾아 바르게 고쳐 쓰세요.

> 고구마를 꿀에 졸여서 간식으로 먹으려다가 태우고 말았다. 엄마께 꾸중들을까 봐 마음을 조리고 있었는데, 엄마는 오히려 어디 다친 데는 없느냐며 걱정해 주셨다.

9 (   ) → (   )

10 (   ) → (   )

걸린 시간   분   맞은 개수   개

23회

교과 어휘 - 한자어

과학

해석
解 풀 해 | 釋 풀 석

어떤 현상이나 행동, 글 등의 의미를 이해하거나 판단함.

예 그 책에 대한 사람들의 해석이 다양했다.

유의어 판단 사물을 인식하여 논리나 기준 등에 따라 판정을 내림.

사회

행정
行 행할 행 | 政 정사 정

정치나 사무를 행함.

예 아버지는 회사에서 행정 업무를 맡고 있다.

국어

허위
虛 빌 허 | 僞 거짓 위

진실이 아닌 것을 진실인 것처럼 꾸민 것.

예 우리는 허위 보도 때문에 오해를 받았다.

유의어 거짓 사실과 어긋난 것.

반의어 진실 거짓이 없는 사실.

사회

현존
現 나타날 현 | 存 있을 존

현재 살아 있음. 또는 현재에 있음.

예 이 영화의 주인공은 현존 인물이다.

국어

협정
協 화합할 협 | 定 정할 정

행정부가 외국의 정부와 맺는 국제법상의 조약이나 약정.

예 우리는 많은 국가와 무역 협정을 맺었다.

유의어 조약 국가 간의 권리와 의무를 국가 간의 합의에 따라 법적으로 규정하는 행위.

국어

호응
呼 부를 호 | 應 응할 응

부름에 응답한다는 뜻으로, 부름이나 호소에 대답하거나 응함.

예 나의 의견은 사람들에게 호응을 받았다.

유의어 응답 부름이나 물음에 응하여 답함.

국어

혼신
渾 흐릴 혼 | 身 몸 신

몸 전체.

예 그들은 환자를 살리려고 혼신의 노력을 다했다.

유의어 온몸 몸 전체.

사회

화전
火 불 화 | 田 밭 전

산간 지대에서 풀과 나무를 불태우고 그 자리를 일구어 농사를 짓는 밭.

예 예전에는 화전을 일구며 농사를 지었다.

어휘 쏙 일구다 논밭을 만들기 위하여 땅을 파서 일으키다.

1-3 다음 낱말과 그 뜻풀이를 바르게 선으로 이으세요.

1 행정 •

• ㉠ 몸 전체.

2 현존 •

• ㉡ 정치나 사무를 행함.

3 혼신 •

• ㉢ 현재 살아 있음. 또는 현재에 있음.

4-6 다음 낱말의 뜻풀이에 알맞은 말을 골라 ○표를 하세요.

4 허위 진실이 아닌 것을 진실인 것처럼 (붙인, 꾸민) 것.

5 해석 어떤 현상이나 행동, 글 등의 (가치, 의미)를 이해하거나 판단함.

6 협정 행정부가 외국의 정부와 (잡는, 맺는) 국제법상의 조약이나 약정.

7-8 빈칸에 들어갈 알맞은 낱말을 보기 에서 찾아 쓰세요.

보기   현존   호응   화전

7 밭에 불을 태워 농사를 짓는 (   )은 금지되었다.

8 아무도 내가 한 이야기에 (   )을 하지 않아서 서운했다.

9-10 다음 밑줄 친 낱말과 바꾸어 쓸 수 있는 낱말을 보기 에서 찾아 쓰세요.

보기   응답   판단   조약

9 국가 간의 협정은 법적으로 효력이 보장된다.   (   )

10 그의 말을 어떻게 해석해야 할지 알 수 없었다.   (   )

걸린 시간   분   맞은 개수   개

교과 어휘 - 고유어

국어

허름하다

좀 헌 듯하다.

예 우리는 허름한 집 안으로 들어섰다.

유의어 ▶ 낡다 물건 등이 오래 되어 헐고 너절하게 되다.

국어

허투루

아무렇게나 되는대로.

예 그는 허투루 말하는 법이 없었다.

유의어 ▶ 함부로 조심하거나 깊이 생각하지 아니하고 마음 내키는 대로 마구.

국어

헐벗다

가난하여 옷이 헐어 벗다시피 하다.

예 우리는 헐벗은 아이들을 도와주었다.

국어

헤집다

긁어 파서 뒤집어 흩다.

예 엄마는 방석 속을 헤집어 솜을 뜯으셨다.

유의어 ▶ 헤치다 속에 든 물건 을 드러나게 하려고 덮인 것 을 파거나 젖히다.

국어

호리호리하다

몸이 가늘고 날씬하다.

예 그녀는 호리호리한 몸집에 키가 컸다.

유의어 ▶ 날씬하다 몸이 가늘 고 키가 좀 커서 맵시가 있다.

사회

휘말리다

① 물살 등에 휩쓸리다.

예 그 배는 파도에 휘말려 중심을 잃었다.

② 어떤 사건이나 감정에 완전히 휩쓸려 들어가다.

예 나도 모르게 그들의 계획에 휘말려 곤란해졌다.

국어

흘겨보다

흘기는 눈으로 보다.

예 그녀는 화를 내며 나를 흘겨보았다.

유의어 ▶ 노려보다 미운 감정 으로 어떠한 대상을 매섭게 계속 바라보다.

국어

흩날리다

흩어져 날리다. 또는 그렇게 하다.

예 바람이 낙엽이 흩날리고 있었다.

유의어 ▶ 날리다 바람이나 힘 에 의해 공중에 떠서 움직여 지다.

확인 학습

1-3 다음 뜻풀이에 알맞은 낱말을 [보기]에서 찾아 쓰세요.

보기	허투루 헐벗다 헤집다 호리호리하다

1 아무렇게나 되는대로. ( )

2 몸이 가늘고 날씬하다. ( )

3 가난하여 옷이 헐어 벗다시피 하다. ( )

4-6 다음 밑줄 친 낱말과 바꾸어 쓸 수 있는 낱말을 찾아 바르게 선으로 이으세요.

4 나는 사람들을 <u>헤집고</u> 앞으로 나갔다. • • ㉠ 낡고

5 그는 <u>허름하고</u> 후줄근한 옷을 입었다. • • ㉡ 날리고

6 눈발이 <u>흩날리고</u> 바람이 매서운 날씨였다. • • ㉢ 헤치고

7-9 다음 낱말이 들어갈 문장을 찾아 바르게 선으로 이으세요.

7 헐벗은 • • ㉠ 그는 조난을 당해 거의 ( ) 차림이었다.

8 헤집은 • • ㉡ 화를 내면서 나를 ( ) 눈빛이 무서웠다.

9 흘겨보는 • • ㉢ 동생이 내 가방을 다 ( ) 것을 보니 화가 났다.

10 [보기]의 밑줄 친 낱말의 뜻풀이로 알맞은 것의 기호를 쓰세요.

보기	우리는 이번 사건에 <u>휘말리고</u> 싶지 않았다.

㉠ 물살 등에 휩쓸리다.
㉡ 어떤 사건이나 감정에 완전히 휩쓸려 들어가다.

걸린 시간 분   맞은 개수 개

심화 어휘 – 주제별 한자 성어

★ 재능이 뛰어남

다재다능
多 많을 다 | 才 재주 재 | 多 많을 다 | 能 능할 능

재주와 능력이 여러 가지로 많음.
예 그는 많은 방면에 **다재다능**하였다.

문일지십
聞 들을 문 | 一 하나 일 | 知 알 지 | 十 열 십

하나를 듣고 열 가지를 미루어 안다는 뜻으로, 지극히 총명함을 이르는 말.
예 동생은 무엇이든 금세 배워서 잘했기 때문에 가히 **문일지십**이라고 할 만하였다.

일취월장
日 날 일 | 就 나아갈 취 | 月 달 월 | 將 장수 장

나날이 다달이 자라거나 발전함.
예 내 그림 실력은 **일취월장**하여 미술 대회를 휩쓸었다.

청출어람
靑 푸를 청 | 出 날 출 | 於 어조사 어 | 藍 쪽 람

제자나 후배가 스승이나 선배보다 나음을 이르는 말.
예 그의 제자는 **청출어람**이라는 평을 들었다.

★ 입장이 서로 뒤바뀜

본말전도
本 근본 본 | 末 끝 말 | 顚 엎드러질 전 | 倒 넘어질 도

사물의 순서나 위치 또는 이치가 거꾸로 된 것.
예 이득을 위해 환경을 파괴하는 것은 **본말전도**라고 할 수 있다.

주객전도
主 주인 주 | 客 손님 객 | 顚 엎드러질 전 | 倒 넘어질 도

주인과 손의 위치가 서로 뒤바뀐다는 뜻으로, 사물의 앞뒤 등이 서로 뒤바뀜을 이르는 말.
예 취미가 일과 **주객전도**되어, 일보다 더 열심히 하게 되었다.

적반하장
賊 도둑 적 | 反 돌이킬 반 | 荷 꾸짖을 하 | 杖 지팡이 장

도둑이 도리어 매를 든다는 뜻으로, 잘못한 사람이 아무 잘못도 없는 사람을 나무람을 이르는 말.
예 그들은 **적반하장**으로 우리에게 화를 내었다.

1-3 다음 한자 성어와 그 뜻풀이를 바르게 선으로 이으세요.

1 다재다능 • • ㉠ 나날이 다달이 자라거나 발전함.

2 본말전도 • • ㉡ 재주와 능력이 여러 가지로 많음.

3 일취월장 • • ㉢ 사물의 순서나 위치 또는 이치가 거꾸로 된 것.

4-5 다음 한자 성어의 뜻풀이에 알맞은 말을 골라 ○표를 하세요.

4 적반하장   도둑이 도리어 매를 (든다, 맞는다)는 뜻.

5 문일지십   하나를 듣고 (열, 백) 가지를 미루어 안다는 뜻으로, 지극히 총명함을 이르는 말.

6-8 빈칸에 들어갈 알맞은 한자 성어를 보기 에서 찾아 쓰세요.

> 보기   다재다능   일취월장   주객전도   청출어람

6 나는 외국어, 운동 등을 모두 잘해서 (   )하다는 말을 듣는다.

7 내가 가르친 동생이 성적이 나보다 높아졌으니 (   )(이)라고 할 만하다.

8 친구를 응원하러 갔다가 내가 더 위로를 받고 와서 (   )이/가 된 상황이다.

9 다음 밑줄 친 상황을 표현하기에 알맞은 한자 성어는 무엇인가요?

> 친구가 약속 시간에 한 시간이나 늦게 나왔다. 내가 약속 시간을 지키라고 화를 좀 냈더니, 애초에 약속 시간을 빨리 잡은 것이 문제라며 도리어 나에게 화를 내는 것이었다.

① 다재다능   ② 문일지십   ③ 일취월장   ④ 적반하장   ⑤ 주객전도

 걸린 시간 (   ) 분   맞은 개수 (   ) 개

24회

공부한 날 ◯월 ◯일

교과 어휘 - 한자어

국어

확산
擴 넓힐 확 | 散 흩을 산

흩어져 널리 퍼짐.
예 세균의 확산을 막아야 했다.

국어

환심
歡 기쁠 환 | 心 마음 심

기뻐하고 즐거워하는 마음.
예 그는 꽃다발로 그녀의 환심을 얻었다.

유의어 호감 좋게 여기는 감정.

사회

황폐
荒 거칠 황 | 廢 폐할 폐

① 집, 토지, 삼림 등이 거칠어져 못 쓰게 됨.
예 건조한 날씨 때문에 토지의 황폐가 심해졌다.
② 정신이나 생활 등이 거칠어지고 메말라 감.
예 이기적인 태도로 인한 감정의 황폐가 심각하다.

유의어 피폐 지치고 쇠약하여짐.

국어

회피
回 돌아올 회 | 避 피할 피

꾀를 부려 마땅히 져야 할 책임을 지지 아니함.
예 그의 책임 회피 때문에 모두가 피해를 입었다.

유의어 기피 꺼리거나 싫어하여 피함.

과학

효모
酵 삭힐 효 | 母 어머니 모

자낭균류에 속하는 균류. 식품 제조 시 발효와 부풀리기에 이용된다.
예 빵을 만들 때 효모를 이용하여 빵을 부풀린다.

어휘 쏙 균류 광합성을 하지 않고 기생을 하는 곰팡이·효모·버섯류를 가리킨다.

국어

효심
孝 효도 효 | 心 마음 심

효성스러운 마음.
예 그는 부모님을 향한 효심이 지극했다.

어휘 쏙 효성 마음을 다하여 부모를 섬기는 정성.

국어

후손
後 뒤 후 | 孫 손자 손

여러 세대가 지난 뒤의 자손을 이르는 말.
예 우리는 후손들에게 깨끗한 자연을 물려주어야 한다.

반의어 선조 먼 윗대의 조상.

사회

훼손
毁 헐 훼 | 損 덜 손

① 체면이나 명예를 손상함.
예 그는 명예에 훼손을 입었다고 항의했다.
② 헐거나 깨뜨려 못 쓰게 만듦.
예 문화재 훼손이 심해서 출입을 금지했다.

유의어 파손 깨어져 못 쓰게 됨. 또는 깨뜨려 못 쓰게 함.

1-3 다음 낱말과 그 뜻풀이를 바르게 선으로 이으세요.

1 확산 •

• ㉠ 효성스러운 마음.

2 회피 •

• ㉡ 흩어져 널리 퍼짐.

3 효심 •

• ㉢ 꾀를 부려 마땅히 져야 할 책임을 지지 아니함.

4-5 다음 낱말의 뜻풀이에 알맞은 말을 골라 ○표를 하세요.

4 환심   기뻐하고 (슬퍼하는, 즐거워하는) 마음.

5 후손   여러 세대가 지난 뒤의 (환경, 자손)을 이르는 말.

6-8 빈칸에 들어갈 알맞은 낱말을 보기 에서 찾아 쓰세요.

> 보기   황폐   회피   효모   훼손

6 그 마을은 (   )하게 버려져 있었다.

7 우리는 (   )을/를 이용해서 맥주를 만들었다.

8 사람들은 자연을 (   )하였지만 다시 복구하고 있다.

9-10 다음 밑줄 친 낱말과 바꾸어 쓸 수 있는 낱말을 보기 에서 찾아 쓰세요.

> 보기   파손   피폐   호감

9 그는 많은 고민들로 몸과 마음이 <u>황폐</u>해졌다.   (   )

10 나는 이웃들의 <u>환심</u>을 얻기 위해 그들을 우리 집으로 초대했다.   (   )

걸린 시간   분   맞은 개수   개

 **24회**

교과 어휘 - 다의어

틀다

① 방향이 꼬이게 돌리다.

예 나는 몸을 틀어 뒤를 돌아보았다.

② 전기 제품 등을 작동하게 하다.

예 오랜만에 라디오를 틀어 방송을 들었다.

③ 잘되어 가던 일을 꼬이게 하다.

예 주인이 일을 틀어서 계약이 깨지고 말았다.

풀다

① 묶이거나 합쳐진 것 등을 그렇지 아니한 상태가 되게 하다.

예 그는 답답한 마음에 넥타이를 풀었다.

② 일어난 감정 등을 누그러뜨리다.

예 나는 친구의 사정을 듣고 화를 풀기로 했다.

③ 모르거나 복잡한 문제 등을 알아내거나 해결하다.

예 오늘도 두 시간 동안 수학 문제를 풀었다.

교과 어휘 - 동음이의어

탄성¹
歎 탄식할 탄 | 聲 소리 성

몹시 한탄하거나 탄식하는 소리.

예 우리가 실패하자 아쉬운 탄성이 터졌다.

탄성²
彈 탄알 탄 | 性 성품 성

물체에 힘을 가하면 모양이 바뀌었다가, 그 힘을 제거하면 본디의 모양으로 되돌아가려고 하는 성질.

예 고무줄은 탄성이 좋아서 잘 늘어난다.

포장¹
包 쌀 포 | 裝 꾸밀 장

종이나 천 등으로 물건을 싸서 꾸림.

예 우리는 선물의 포장을 뜯었다.

포장²
鋪 펼 포 | 裝 꾸밀 장

길에 돌과 모래 등을 깔고 그 위에 시멘트 등으로 덮어 길을 단단하게 다져 꾸미는 일.

예 시골길은 아직도 포장이 안 된 곳이 많다.

1-2 **밑줄 친 낱말의 뜻으로 알맞은 것의 기호를 쓰세요.**

1 나는 속상한 감정을 <u>풀고</u> 먼저 화해의 손길을 내밀었다. ( )
㉠ 일어난 감정 등을 누그러뜨리다.
㉡ 모르거나 복잡한 문제 등을 알아내거나 해결하다.

2 우리는 <u>포장</u>된 도로를 달리다가 울퉁불퉁한 길로 들어섰다. ( )
㉠ 종이나 천 등으로 물건을 싸서 꾸림.
㉡ 길에 돌과 모래 등을 깔고 그 위에 시멘트 등으로 덮어 길을 단단하게 다져 꾸미는 일.

3-5 **다음 밑줄 친 낱말의 뜻풀이를 찾아 바르게 선으로 이으세요.**

3 우리는 추워서 난로를 <u>틀었다</u>. •   • ㉠ 방향이 꼬이게 돌리다.

4 그는 고개를 <u>틀어</u> 나를 보았다. •   • ㉡ 전기 제품 등을 작동하게 하다.

5 갑자기 친구가 약속을 <u>틀어버렸다</u>. •   • ㉢ 잘되어 가던 일을 꼬이게 하다.

6-7 **빈칸에 들어갈 알맞은 낱말을 보기 에서 찾아 쓰세요.**

> 보기   탄성   틀어서   포장   풀어서

6 우리는 짐에 묶인 끈을 다 ( ) 짐을 정리했다.

7 안타깝게 패배한 뒤에 그들 사이에서 ( )이 새어 나왔다.

8-9 **다음 뜻풀이에 알맞은 낱말을 보기 에서 찾아 기호를 쓰세요.**

> 보기 어머니: 이제 나이가 들면서 피부에 ㉠탄성이 없어지고 있어.
> 아들: 휴, 안타까워서 ㉡탄성이 나오네요.

8 몹시 한탄하거나 탄식하는 소리. ( )

9 물체에 힘을 가하면 모양이 바뀌었다가, 그 힘을 제거하면 본디의 모양으로 되돌아가려고 하는 성질. ( )

걸린 시간   분   맞은 개수   개

월 일

공부한 날

심화 어휘 - 주제별 속담

★ 삶의 이치

같은 값이면 다홍치마
값이 같거나 같은 노력을 한다면 품질이 좋은 것을 택한다는 말.
예 같은 값이면 다홍치마라고, 과일 가게에서 가장 크고 좋은 수박을 골랐다.

모난 돌이 정 맞는다
두각을 나타내는 사람이 남에게 미움을 받게 된다는 말.
예 모난 돌이 정 맞는다고 하더니, 가장 실력이 좋은 직원인데 동료들의 미움을 받고 있구나.

원수는 외나무다리에서 만난다
꺼리고 싫어하는 대상을 피할 수 없는 곳에서 만나게 됨을 이르는 말.
예 원수는 외나무다리에서 만난다더니 너를 여기에서 만나게 될 줄은 몰랐다.

심화 어휘 - 주제별 관용어

★ 코와 관련된 관용어

코가 납작해지다
몹시 무안을 당하거나 기가 죽어 위신이 뚝 떨어지다.
예 그는 망신을 당한 뒤 코가 납작해져서 조용히 지냈다.
어휘쏙 위신 위엄과 믿음을 아울러 이르는 말.

코가 높다
잘난 체하고 뽐내는 기세가 있다.
예 그녀는 코가 높아서 대화하기 힘들다.

코가 땅에 닿다
머리를 깊이 숙이다.
예 나는 너무나 감사해서 코가 땅에 닿도록 인사를 드렸다.

코가 빠지다
근심에 싸여 기가 죽고 맥이 빠지다.
예 친구는 종일 걱정을 하느라 코가 빠져 있었다.

1-3 다음 관용어와 그 뜻풀이를 바르게 선으로 이으세요.

1 코가 높다 •   • ㉠ 머리를 깊이 숙이다.

2 코가 땅에 닿다 •   • ㉡ 잘난 체하고 뽐내는 기세가 있다.

3 코가 빠지다 •   • ㉢ 근심에 싸여 기가 죽고 맥이 빠지다.

4-5 다음 뜻풀이에 알맞은 속담을 보기 에서 찾아 기호를 쓰세요.

> 보기 ㉠ 모난 돌이 정 맞는다
>   ㉡ 같은 값이면 다홍치마
>   ㉢ 원수는 외나무다리에서 만난다

4 두각을 나타내는 사람이 남에게 미움을 받게 된다는 말.   (   )

5 값이 같거나 같은 노력을 한다면 품질이 좋은 것을 택한다는 말.   (   )

6-7 빈칸에 들어갈 알맞은 낱말을 보기 에서 찾아 쓰세요.

> 보기   값   무늬   원수   친구

6 '같은 (   )이면 다홍치마'라고 과일도 크고 색깔이 선명한 것이 좋다.

7 '(   )은/는 외나무다리에서 만난다'더니 지난 대회에서 나를 꺾었던 상대를 결승
전에서 만나게 되었다.

8 **다음 상황에 알맞은 관용어를 골라 ○표를 하세요.**

> 　어려서부터 집이 부자라고 항상 코가 (높았던, 빠졌던) 수호는 갑자기 집안이 어려워
> 지자 코가 (길쭉해져서, 납작해져서) 풀이 죽었다. 어려움을 겪는 그에게 친구들이 돈을
> 빌려주자, 수호는 코가 (벽에 붙게, 땅에 닿게) 절을 하였다.

걸린 시간   분   맞은 개수   개

어휘력 향상에 꼭 필요한 810개 필수 낱말 총정리

초등 국어

일등급 어휘력

5

[어휘력 테스트 & 정답과 해설]

어휘력
테스트

1-3 밑줄 친 낱말의 뜻풀이를 **보기**에서 찾아 기호를 쓰세요.

> **보기**
> ㉠ 여럿을 한데 모아 한 덩어리로 짬.
> ㉡ 일이나 사물의 갈래가 구별되는 어름.
> ㉢ 전기가 통하고 있는 물체에 신체의 일부가 닿아서 순간적으로 충격을 받는 것.

1 마음이 급해서 갈피를 잡을 수 없었다.

2 젖은 손으로 전기 제품을 만지면 감전될 수 있다.

3 그 정원은 여러 가지 색깔을 가진 꽃들의 조합으로 아름다웠다.

4-6 빈칸에 들어갈 알맞은 낱말을 **보기**에서 찾아 쓰세요.

> **보기**
> 가녀린   간결한   요동쳐서   조합하여

4 (   ) 꽃들이 바람에 흔들렸다.

5 강물이 (   ) 다리를 건너기 무서웠다.

6 복잡한 문장보다 (   ) 문장이 이해하기 쉽다.

7-9 다음 문장에서 알맞지 않게 쓰인 낱말에 밑줄을 긋고 알맞은 낱말로 고쳐 쓰세요.

7 두 모둠으로 가려서 축구 경기를 하자.

8 편의점을 걷혀서 학교에 가느라고 지각했다.

9 교실에서 급하게 뛰어나가 운동장에 도착하니 심장이 요동쳤다.

10-12 다음 초성과 뜻풀이를 참고하여 빈칸에 들어갈 낱말을 쓰세요.

10 ㄱㅎ : 제도나 기구 등을 새롭게 뜯어고침.
→ 정치 (   )으로 새로운 사회 질서가 자리잡았다.

11 ㄱㅈ : 느끼어 앎.
→ 요즘 대부분의 컴퓨터는 음성 (   ) 기능이 있다.

12 ㄱㅁ : 이름을 고침. 또는 그 이름.
→ 동생은 새로운 이름으로 (   )하기를 간절히 원하였다.

13-14 밑줄 친 낱말과 바꾸어 쓸 수 있는 낱말을 **보기**에서 찾아 쓰세요.

> **보기**
> 강화   거슬러   부탁   비교하여

13 달리기를 해서 실력을 견주어 보자.

14 동생의 간청으로 우리 가족은 나들이를 갔다.

15 **보기**의 빈칸에 들어갈 낱말이 순서대로 짝 지어진 것은 무엇인가요?

> **보기**
> 오늘은 체험 학습을 가는 날이다. 아침에는 비가 내려 걱정했는데 점점 구름이 (   ) 하늘이 맑아졌다. 버스를 타고 가다가 어린이박물관 정문에 내렸다. 박물관 안내소를 (   ) 어린이박물관 본관 전시실에 입장하였다.

① 걷히더니 – 거쳐서   ② 거치더니 – 걷혀서
③ 걷히더니 – 걷혀서   ④ 거치더니 – 거쳐서

걸린 시간 [   ] 분   맞은 개수 [   ] 개

02회 ─ 어휘력 테스트

1-3 다음 뜻풀이에 알맞은 낱말을 보기 에서 찾아 쓰세요.

> **보기**   경청   곰곰이   귀퉁이   길목

1 귀를 기울여 들음.   (   )

2 여러모로 깊이 생각하는 모양.   (   )

3 물건의 모퉁이나 삐죽 나온 부분.   (   )

4-6 빈칸에 공통으로 들어갈 낱말을 보기 에서 찾아 쓰세요.

> **보기**   검색   경로   그윽한   기우뚱한

4
- 경찰이 수상한 남자를 (   )했다.
- 책을 읽다가 모르는 낱말을 (   )했다.

5
- 학교에서 집으로 오는 (   )이/가 정해져 있다.
- 어떤 (   )(으)로 사건이 일어났는지 알수 없다.

6
- 따뜻한 차에서 (   ) 향기가 났다.
- 고요하고 (   ) 밤에 조용히 눈이 내렸다.

7-8 다음 초성과 뜻풀이를 참고하여 빈칸에 들어갈 낱말을 쓰세요.

7 ㄱㅈ : 기껏 따져 보거나 헤아려 보아야.

→ (   ) 준비한 선물이 연필이라고?

8 ㄱㄹ 하다: 말이나 행동이 세차고 사납다.

→ 축구 선수의 (   )한 발길질에 공이 멀리 날아갔다.

9-12 다음 뜻풀이에 알맞은 한자 성어를 보기 에서 찾아 기호를 쓰세요.

> **보기**   ㉠ 이심전심   ㉡ 일편단심
>   ㉢ 명경지수   ㉣ 백골난망

9 맑은 거울과 고요한 물.   (   )

10 마음과 마음으로 서로 뜻이 통함.   (   )

11 한 조각의 붉은 마음이라는 뜻으로, 진심에서 우러나오는 변치 아니하는 마음을 이르는 말.
     (   )

12 죽어서 백골이 되어도 잊을 수 없다는 뜻으로, 남에게 큰 은덕을 입었을 때 고마움의 뜻으로 쓰이는 말.   (   )

13-15 다음 상황을 표현하기에 알맞은 한자 성어를 찾아 바르게 선으로 이으세요.

13 선생님의 은혜를 가슴 깊이 새겼다.   •

     • ㉠ 각골난망

14 비에 젖은 고양이를 보니 안타까운 마음이 들었다.   •

     • ㉡ 결초보은

15 생쥐는 사자의 은혜를 잊지 않고 사자의 목숨을 구해 주었다.   •

     • ㉢ 측은지심

 걸린 시간   분   맞은 개수   개

1-3 다음 뜻풀이에 알맞은 낱말을 보기 에서 찾아 쓰세요.

보기　고려하다　곱다　공손하다　구하다

1　생각하고 헤아려 보다.　（　　　）

2　가루나 알갱이 등이 아주 잘다.　（　　　）

3　위태롭거나 어려운 지경에서 벗어나게 하다.
　　　　　　　　　　　　　　　（　　　）

4-5 밑줄 친 낱말이 다음과 같은 뜻으로 쓰인 문장의 기호를 쓰세요.

4　생각이 듬쑥하고 신중하다.
　　㉠ 깊은 동굴에 박쥐가 산다.
　　㉡ 깊은 고민 끝에 마침내 결정을 내렸다.

5　찌꺼기나 건더기가 있는 액체를 체나 거름종이 등에 밭쳐서 액체만 받아 내다.
　　㉠ 체에 흙을 거르면 고운 모래만 남는다.
　　㉡ 하루도 거르지 않고 책을 읽어서 칭찬을 받았다.

6-8 다음 밑줄 친 부분과 의미가 통하는 관용어를 보기 에서 찾아 기호를 쓰세요.

보기　㉠ 간이 붓다　　㉡ 간이 작다
　　　㉢ 간을 졸이다　㉣ 간이 떨어지다

6　갑자기 천둥이 쳐서 깜짝 놀랐다.

7　유리창 깬 것을 들킬까 봐 조마조마했다.

8　견우는 대담하게 가장 먼저 발표를 하겠다고 손을 번쩍 들었다.

9-12 밑줄 친 낱말의 뜻풀이를 보기 에서 찾아 기호를 쓰세요.

보기　㉠ 필요한 것을 찾다.
　　　㉡ 공평하고 올바르다.
　　　㉢ 말이나 행동이 겸손하고 예의 바르다.
　　　㉣ 눈이나 기계로 자연 현상의 상태나 변화 등을 관찰하여 측정하다.

9　판사는 공정하게 재판해야 한다.　（　　　）

10　천문대에서 망원경으로 별을 관측하였다.
　　　　　　　　　　　　　　　（　　　）

11　구하기 어려운 공을 선물받았다.　（　　　）

12　아영이는 공손하게 선생님께 인사를 드렸다.
　　　　　　　　　　　　　　　（　　　）

13-15 다음 뜻풀이에 알맞은 속담을 보기 에서 찾아 기호를 쓰세요.

보기　㉠ 가는 날이 장날
　　　㉡ 까마귀 날자 배 떨어진다
　　　㉢ 소 뒷걸음질 치다 쥐 잡기

13　소가 뒷걸음질 치다가 우연히 쥐를 잡게 되었다는 뜻으로, 우연히 공을 세운 경우를 이르는 말.
　　　　　　　　　　　　　　　（　　　）

14　아무 관계 없이 한 일이 우연히 때가 같아 어떤 관계가 있는 것처럼 의심을 받게 됨을 이르는 말.
　　　　　　　　　　　　　　　（　　　）

15　일을 보러 가니 뜻하지 않게 장이 서는 날이라는 뜻으로, 어떤 일을 하려고 하는데 뜻하지 않은 일을 당함을 이르는 말.
　　　　　　　　　　　　　　　（　　　）

걸린 시간　　　분　맞은 개수　　　개

04회 어휘력 테스트

1-3 밑줄 친 낱말의 뜻풀이를 보기 에서 찾아 기호를 쓰세요.

> 보기
> ㉠ 속이 물크러져 상하다.
> ㉡ 마음이 넓고 아량이 있다.
> ㉢ 어떤 대상을 자신이 원하는 목적을 이루기 위해 한곳에 모으다.

1 먹지 않은 사과가 곯아서 냄새가 났다.

2 어머니께서는 동생의 잘못을 너그럽게 용서해 주셨다.

3 나는 운동장에 있는 친구들을 끌어모아 축구를 하자고 하였다.

4-6 빈칸에 들어갈 알맞은 낱말을 보기 에서 찾아 쓰세요.

> 보기
> 광활한   교묘한   낚아채어   남다르게

4 현서는 (   ) 얼굴이 하얗다.

5 (   ) 논밭에 벼가 익어 가고 있다.

6 친구는 내 팔을 (   ) 달리기 시작했다.

7-9 다음 문장에서 알맞지 않게 쓰인 낱말에 밑줄을 긋고 알맞은 낱말로 고쳐 쓰세요.

7 문틈에 옷자락이 끼우고 말았다.

8 날씨가 굳어서 운동회가 연기되었다.

9 더운 날씨에 포도가 곯아서 먹을 수가 없었다.

10-12 다음 초성과 뜻풀이를 참고하여 빈칸에 들어갈 낱말을 쓰세요.

10 ㄱㅈ : 권하여 장려함.
→ 사서 선생님께서 독서를 (   )하셨다.

11 ㄱㄷ : 고르고 가지런하여 차별이 없음.
→ 선생님께서는 모둠마다 발표할 수 있는 기회를 (   )하게 주셨다.

12 ㄴㄴㅇ : 매일매일 조금씩.
→ 겨울이 가고 (   ) 봄이 오고 있다.

13-14 밑줄 친 낱말과 바꾸어 쓸 수 있는 낱말을 보기 에서 찾아 쓰세요.

> 보기
> 교묘하게   까다롭게   맥없게

13 방 안의 더운 공기가 몸을 나른하게 했다.

14 과학자는 실험 결과를 깐깐하게 비교해 보았다.

15 보기 의 빈칸에 들어갈 낱말이 순서대로 짝 지어진 것은 무엇인가요?

> 보기
> 할머니께서 김치를 (   ) 소금에 절인 배추를 소쿠리에 (   ). 배추에 넣을 양념을 온 가족이 모여서 준비하였다.

① 담으려고 – 담으셨다   ② 담으려고 – 담그셨다
③ 담그려고 – 담으셨다   ④ 담그려고 – 담그셨다

걸린 시간 (   ) 분   맞은 개수 (   ) 개

1-3 다음 뜻풀이에 알맞은 낱말을 **보기** 에서 찾아 쓰세요.

> **보기** 느닷없다   다급하다   다부지다   덧없다

1 일이 바싹 닥쳐서 매우 급하다. (   )

2 보람이나 쓸모가 없어 헛되고 허전하다.
(   )

3 나타나는 모양이 아주 뜻밖이고 갑작스럽다.
(   )

4-5 빈칸에 공통으로 들어갈 낱말을 **보기** 에서 찾아 쓰세요.

> **보기** 기색   노릇   누그러진   달싹이는

4 • 당분간 이모가 엄마 (   )을/를 하신다.
• 동생이 또 떼를 쓰니 기가 찰 (   )이다.

5 • 비가 와서 더위가 한층 (   ) 듯하다.
• 어머니께서는 숙제를 하는 모습을 보시고 (   ) 표정을 지으셨다.

6-8 다음 초성과 뜻풀이를 참고하여 빈칸에 들어갈 낱말을 쓰세요.

6 ㄱ ㅇ 하다: 기묘하고 이상하다.
➜ 귀신의 집 분위기가 (   )했다.

7 ㄷ ㅊ : 어떤 정세나 사건에 대하여 알맞은 조치를 취함.
➜ 그는 신속한 사고 (   )을/를 원했다.

8 ㄴ ㅈ ㅅ : 드러나지 않게 가만히.
➜ 어머니께서 (   ) 언제 숙제를 할 것이냐고 물어보셨다.

9-12 다음 뜻풀이에 알맞은 한자 성어를 **보기** 에서 찾아 기호를 쓰세요.

> **보기** ㉠ 강구연월   ㉡ 고진감래
> ㉢ 전화위복   ㉣ 함포고복

9 재앙과 근심, 걱정이 바뀌어 오히려 복이 됨.
(   )

10 쓴 것이 다하면 단 것이 온다는 뜻으로, 고생 끝에 즐거움이 옴을 이르는 말. (   )

11 잔뜩 먹고 배를 두드린다는 뜻으로, 먹을 것이 풍족하여 즐겁게 지냄을 이르는 말. (   )

12 번화한 큰 길거리에서 달빛이 연기에 은은하게 비치는 모습을 나타내는 말로, 태평한 세상의 평화로운 풍경을 이르는 말. (   )

13-15 다음 상황을 표현하기에 알맞은 한자 성어를 찾아 바르게 선으로 이으세요.

13 세종이 다스리던 때에 백성들은 평안하였다.   •
• ㉠ 고진감래

14 나라의 국력은 강할 때도 있고 약할 때도 있다.   •
• ㉡ 태평성대

15 잠을 줄여 가며 열심히 노력하여서 드디어 시험에 합격하였다.   •
• ㉢ 흥망성쇠

걸린 시간   분   맞은 개수   개

06회 어휘력 테스트

1-3 다음 뜻풀이에 알맞은 낱말을 보기 에서 찾아 쓰세요.

> **보기** 독차지   동참   면담   명칭

1 혼자서 모두 차지함. ( )

2 서로 만나서 이야기함. ( )

3 사람이나 사물 등의 이름. ( )

4-5 밑줄 친 낱말이 다음과 같은 뜻으로 쓰인 문장의 기호를 쓰세요.

4 '공기'를 달리 이르는 말.

> ㉠ 미세 먼지가 심해서 대기가 좋지 않다.
> ㉡ 대장은 군인들에게 대기 명령을 내렸다.

5 거짓이나 없는 것을 사실인 것처럼 지어내다.

> ㉠ 꾸며 낸 이야기에 깜빡 속을 뻔했다.
> ㉡ 인형을 꾸며 놓으니 한결 아름다웠다.

6-8 다음 밑줄 친 부분과 의미가 통하는 관용어를 보기 에서 찾아 기호를 쓰세요.

> **보기** ㉠ 고개를 들다   ㉡ 고개를 돌리다
> ㉢ 고개를 끄덕이다   ㉣ 고개가 수그러지다

6 놀이공원에 가자는 영우의 말에 모두 동의했다.

7 친구는 축구를 하고 집에 가자는 나의 말을 못 들은 척했다.

8 유관순 열사의 이야기를 듣고 가슴 깊이 존경하는 마음이 들었다.

9-12 밑줄 친 낱말의 뜻풀이를 보기 에서 찾아 기호를 쓰세요.

> **보기** ㉠ 어떤 일을 짜고 만들다.
> ㉡ 더할 수 없을 만큼 많거나 크다.
> ㉢ 충분히 만족할 만큼 느끼고 즐기다.
> ㉣ 소리나 냄새 등이 감각에 거슬릴 만큼 강하다.

9 꽃 향기를 만끽하며 산책했다. ( )

10 이번 홍수로 막대한 피해를 입었다. ( )

11 자전거 바퀴에서 날카로운 소리가 났다. ( )

12 계획을 꾸미고 나서 실행에 옮겨야 한다. ( )

13-15 다음 뜻풀이에 알맞은 속담을 보기 에서 찾아 기호를 쓰세요.

> **보기** ㉠ 누워서 침 뱉기
> ㉡ 다 된 죽에 코 풀기
> ㉢ 불난 집에 부채질한다

13 거의 다 된 일을 망쳐버리는 주책없는 행동을 이르는 말. ( )

14 남의 재앙을 점점 더 커지도록 만들거나 성난 사람을 더욱 성나게 함을 이르는 말. ( )

15 하늘을 향하여 침을 뱉어 보아야 자기 얼굴에 떨어진다는 뜻으로, 자기에게 해가 돌아올 짓을 함을 이르는 말. ( )

 걸린 시간 　　　분　맞은 개수 　　　개

1-3 밑줄 친 낱말의 뜻풀이를 보기 에서 찾아 기호를 쓰세요.

보기
　㉠ 헤아릴 수 없다.
　㉡ 말이나 태도가 흐리터분하여 분명하지 않다.
　㉢ 거침없이 저절로 밀리어 나갈 정도로 반드럽다.

1 비단 이불이 아주 <u>매끄럽다.</u>

2 <u>무수한</u> 별이 밤하늘에 가득 떠 있다.

3 설명이 <u>모호하여</u> 선뜻 판단하기 힘들었다.

4-6 빈칸에 들어갈 알맞은 낱말을 보기 에서 찾아 쓰세요.

보기 　당당하게　돌이키기　또렷하게　밀접하게

4 나의 잘못을 더 이상 (　　　　) 싫다.

5 안경을 쓰니 물체가 (　　　　) 보였다.

6 현지는 가장 먼저 손을 들고 (　　　　) 제안하였다.

7-9 다음 문장에서 알맞지 않게 쓰인 낱말에 밑줄을 긋고 알맞은 낱말로 고쳐 쓰세요.

7 농부가 도랑에 콩을 심고 있다.

8 담 너머로 강아지 짖는 소리가 들렸다.

9 들판에 눈이 내려 솜이불로 덮혀 있는 것 같았다.

10-12 다음 초성과 뜻풀이를 참고하여 빈칸에 들어갈 낱말을 쓰세요.

10 ㅂㄱ : 되받아 공격함.
　→ 적의 (　　　　)에 모두 긴장하였다.

11 ㅁㅂ : 다른 것을 본뜨거나 본받음.
　→ (　　　　)은/는 창조의 어머니이다.

12 ㅁㅋ 하다: 연기나 곰팡이 등의 냄새가 약간 맵고 싸하다.
　→ 운동장 구석에서 낙엽을 태우는 (　　　　) 한 냄새가 났다.

13-14 밑줄 친 낱말과 바꾸어 쓸 수 있는 낱말을 보기 에서 찾아 쓰세요.

보기 　　가까운　모호한　여러모로

13 운동과 건강은 <u>밀접한</u> 관계가 있다.

14 동생은 여러 가지 좋은 점을 <u>두루</u> 가지고 있다.

15 보기 의 빈칸에 들어갈 낱말이 순서대로 짝 지어진 것은 무엇인가요?

보기 　집으로 가는 길에 놀이터에 (　　). 갑자기 강아지가 뛰어와서 큰 소리로 짖었다. 무척 무서웠지만 놀라지 않은 척 (　　) 조용히 뒤돌아서 집으로 왔다.

① 들렀다 – 담담하게　② 들렸다 – 담담하게
③ 들렀다 – 당당하게　④ 들렸다 – 당당하게

걸린 시간　　　　분　맞은 개수　　　　개

08회 어휘력 테스트

1-3 다음 뜻풀이에 알맞은 낱말을 **보기** 에서 찾아 쓰세요.

> **보기** 멋쩍다   몰려들다   무릅쓰다   뭉뚝하다

1 어색하고 쑥스럽다.   (   )

2 여럿이 떼를 지어 들어오다.   (   )

3 힘들고 어려운 일을 참고 견디다. (   )

4-5 빈칸에 공통으로 들어갈 낱말을 **보기** 에서 찾아 쓰세요.

> **보기**   발굴   발작   배양

4 • 책을 읽어서 인격 (   )에 힘쓰자.
   • 세균을 (   )해서 신약을 개발했다.

5 • 무덤에서 유적을 (   )하였다.
   • 자원을 (   )하기에 어려움이 많이 따른다.

6-8 다음 초성과 뜻풀이를 참고하여 빈칸에 들어갈 낱말을 쓰세요.

6 ㅂㅇ : 생물체가 자라남.
   → 음식을 가려 먹으면 (   )이/가 더디다.

7 ㅂㅍ : 어떤 사물의 내부에 있는 옳지 못한 경향이나 해로운 요소.
   → 사회의 (   )을/를 없애고 질서를 바로잡아야 한다.

8 ㅂㄱ하다: 조금 발갛다.
   → 발표를 시키자 미호는 볼이 (   )하게 달아올랐다.

9-12 다음 뜻풀이에 알맞은 한자 성어를 **보기** 에서 찾아 기호를 쓰세요.

> **보기** ㉠ 맹모단기   ㉡ 분골쇄신
>   ㉢ 절차탁마   ㉣ 형설지공

9 뼈를 가루로 만들고 몸을 부순다는 뜻으로, 정성으로 노력함을 이르는 말.   (   )

10 옥이나 돌 등을 갈고 닦아서 빛을 낸다는 뜻으로, 부지런히 학문과 덕행을 닦음을 이르는 말.
                                                    (   )

11 반딧불·눈과 함께 하는 노력이라는 뜻으로, 고생을 하면서 부지런하고 꾸준하게 공부하는 자세를 이르는 말.   (   )

12 맹자가 학업을 중단하고 돌아왔을 때, 어머니가 짜던 베를 잘라서 학문을 중도에 그만둔 것을 훈계한 일을 이르는 말.   (   )

13-15 다음 상황을 표현하기에 알맞은 한자 성어를 찾아 바르게 선으로 이으세요.

13 그 작가는 낮에도 밤에도   • ㉠ 망양지탄
   글을 썼다.

14 종교를 깊이 연구할수록   • ㉡ 불철주야
   진리를 찾기 힘들다.

15 감독은 다음 경기에서도   • ㉢ 주마가편
   우승을 하라고 선수들을
   격려하였다.

걸린 시간   분   맞은 개수   개

1-3 다음 뜻풀이에 알맞은 낱말을 **보기** 에서 찾아 쓰세요.

보기   보행   부강   분주   불순

1 걸어 다님.   (   )

2 부유하고 강함.   (   )

3 딴 속셈이 있어 참되지 못함.   (   )

4-5 밑줄 친 낱말이 다음과 같은 뜻으로 쓰인 문장의 기호를 쓰세요.

4 길, 통로 등이 통하지 못하게 하다.

      ㉠ 자동차가 골목을 <u>막아</u> 소방차가 들어가지 못한다.

      ㉡ 동생이 장난감을 던지는 것을 <u>막아</u> 다행히 장난감이 부서지지 않았다.

5 어떤 일이나 행동을 하지 않거나 그만두다.

      ㉠ 짝은 도화지를 <u>말고</u> 고무줄로 묶었다.

      ㉡ 짝은 의자를 밀다가 <u>말고</u> 바닥을 닦았다.

6-8 다음 밑줄 친 부분과 의미가 통하는 관용어를 **보기** 에서 찾아 기호를 쓰세요.

보기   ㉠ 꼬리를 물다   ㉡ 꼬리를 밟히다
        ㉢ 꼬리를 내리다   ㉣ 꼬리를 감추다

6 숙제에 대한 질문이 <u>계속 이어졌다</u>.

7 상대팀은 축구 경기에 져서 <u>기운이 없었다</u>.

8 과자를 계속 숨기고 먹다가 동생에게 <u>들켰다</u>.

9-12 밑줄 친 낱말의 뜻풀이를 **보기** 에서 찾아 기호를 쓰세요.

보기   ㉠ 마땅한 예로써 대함.
        ㉡ 가지거나 지니게 하여 줌.
        ㉢ 여러 부분이 결합되어 이루어진 것을 그 낱낱으로 나눔.
        ㉣ 세포가 침이나 소화액, 호르몬 등을 세포 밖으로 배출함.

9 침샘에서 침이 <u>분비</u>된다.   (   )

10 고장난 컴퓨터를 <u>분해</u>했다.   (   )

11 형 <u>대접</u>을 해 주어서 기분이 좋다.   (   )

12 회장이라도 특권을 <u>부여</u>하면 안 된다. (   )

13-15 다음 뜻풀이에 알맞은 속담을 **보기** 에서 찾아 기호를 쓰세요.

보기   ㉠ 천 리 길도 한 걸음부터
        ㉡ 구슬이 서 말이어도 꿰어야 보배
        ㉢ 부뚜막의 소금도 집어넣어야 짜다

13 무슨 일이나 그 일의 시작이 중요하다는 말.

                                       (   )

14 아무리 손쉬운 일이라도 힘을 들이어 하지 아니하면 안 됨을 이르는 말.   (   )

15 아무리 훌륭하고 좋은 것이라도 다듬고 정리하여 쓸모 있게 만들어 놓아야 값어치가 있음을 이르는 말.   (   )

 걸린 시간   분   맞은 개수   개

10회 어휘력 테스트

1-3 밑줄 친 낱말의 뜻풀이를 **보기**에서 찾아 기호를 쓰세요.

> **보기**
> ㉠ 맡겨진 임무.
> ㉡ 오는 사람을 나가서 맞이함.
> ㉢ 발전이나 진보의 정도가 다른 것보다 앞섬.

1 군인의 <u>사명</u>은 나라를 지키는 것이다.

2 <u>선진</u> 기술을 도입하여 기술 개발이 가능해졌다.

3 할머니께서 우리 집에 오신다고 하셔서 정류장으로 <u>마중</u>을 나갔다.

4-6 빈칸에 들어갈 알맞은 낱말을 **보기**에서 찾아 쓰세요.

> **보기** 보듬고   불거지고   뻑뻑하고   뾰로통하고

4 빵이 (   ) 딱딱해서 맛이 없었다.

5 엄마가 아기를 가슴에 (   ) 달래 주었다.

6 그의 얼굴에 (   ) 못마땅한 기분이 드러나 있다.

7-9 다음 문장에서 알맞지 <u>않게</u> 쓰인 낱말에 밑줄을 긋고 알맞은 낱말로 고쳐 쓰세요.

7 생일날 친구에게 선물을 받았다.

8 시든 꽃잎의 색깔이 지저분하게 바랐다.

9 무를 깨끗하게 씻어서 채반에 받혀 놓았다.

10-12 다음 초성과 뜻풀이를 참고하여 빈칸에 들어갈 낱말을 쓰세요.

10 ㅂㄱ : 가난하여 살기가 어려움.
➔ 흉년이 들어 농민들은 (   )해졌다.

11 ㅅㅅ : 사물이 생겨남. 또는 사물이 생겨 이루어지게 함.
➔ 생명은 끊임없이 (   )되고 소멸된다.

12 ㅂㅇ : 떠나가는 손님을 일정한 곳까지 따라 나가서 작별하여 보내는 일.
➔ 친구가 전학을 가서 교문 밖까지 (   ) 하였다.

13-14 밑줄 친 낱말과 바꾸어 쓸 수 있는 낱말을 **보기**에서 찾아 쓰세요.

> **보기**   보살피고   야유하고   튀어나오고

13 그는 광대뼈가 <u>불거지고</u> 코가 컸다.

14 지각한 현준이를 친구들이 <u>빈정대고</u> 놀렸다.

15 **보기**의 빈칸에 들어갈 낱말이 순서대로 짝 지어진 것은 무엇인가요?

> **보기**   내 방의 벽지가 오랫동안 햇볕을 받아서 색이 (   ). 보기에 좋지 않아 어머니께서 새 벽지로 바꾸어 주시기를 마음속으로 (   ).

① 바랬다 – 바랬다
② 바랐다 – 바랐다
③ 바랬다 – 바랐다
④ 바랐다 – 바랬다

걸린 시간   분   맞은 개수   개

1-3 다음 뜻풀이에 알맞은 낱말을 보기에서 찾아 쓰세요.

> 보기 　살그머니　선뜻　섭리　수요

1 남이 알아차리지 못하게 살며시. (　　　)

2 기분이나 느낌이 개끗하고 시원한 모양.
(　　　)

3 어떤 재화를 일정한 가격으로 사려고 하는 욕구.
(　　　)

4-6 빈칸에 공통으로 들어갈 낱말을 보기에서 찾아 쓰세요.

> 보기 　사뭇　생생　섬뜩　시야

4 • 이번 방학은 (　　　) 바빴다.
　 • 형과 나의 성격은 (　　　) 다르다.

5 • 봄이 되니 (　　　)하게 새싹이 돋았다.
　 • 전학 간 친구의 얼굴이 (　　　)하게 떠오른다.

6 • 여행을 다니며 (　　　)을/를 넓혔다.
　 • 키가 큰 앞사람이 (　　　)을/를 가린다.

7-8 다음 초성과 뜻풀이를 참고하여 빈칸에 들어갈 낱말을 쓰세요.

7 ㅅㅎ하다: 여럿 가운데서 특별히 가려서 좋아하다.
　→ 친구들은 축구보다 농구를 (　　　)한다.

8 ㅅㅊ다: 마구 날뛰다.
　→ 운동장에서 신이 나서 (　　　)고 다녔다.

9-12 다음 뜻풀이에 알맞은 한자 성어를 보기에서 찾아 기호를 쓰세요.

> 보기 　㉠ 노심초사　　㉡ 식자우환
> 　　㉢ 전전반측　　㉣ 좌불안석

9 몹시 마음을 쓰며 애를 태움. (　　　)

10 학식이 있는 것이 오히려 근심을 사게 됨.
(　　　)

11 누워서 몸을 이리저리 뒤척이며 잠을 이루지 못함.
(　　　)

12 앉아도 자리가 편안하지 않다는 뜻으로, 마음이 걱정스러워서 가만히 앉아 있지 못하고 안절부절못하는 모양을 이르는 말. (　　　)

13-15 다음 상황을 표현하기에 알맞은 한자 성어를 찾아 바르게 선으로 이으세요.

13 학급 회장이 먼저 교실 청소를 시작했다. •　　• ㉠ 독야청청

14 의사는 전염병이 더 퍼질까 두려워 떨었다. •　　• ㉡ 솔선수범

15 그 신하만이 홀로 남아 임금에 대한 절개를 지켰다. •　　• ㉢ 전전긍긍

걸린 시간　　분　맞은 개수　　개

정답과 해설 36쪽

1-3 다음 뜻풀이에 알맞은 낱말을 보기에서 찾아 쓰세요.

보기   안목   압력   양성   양해

1 사물을 보고 분별하는 능력.   (   )

2 실력이나 역량을 길러서 발전시킴.   (   )

3 남을 자기 의지에 따르게 하는 힘.   (   )

4-5 밑줄 친 낱말이 다음과 같은 뜻으로 쓰인 문장의 기호를 쓰세요.

4 굳은 것이 물렁거리게 되다.
㉠ 책을 잘못 사서 물렀다.
㉡ 사과가 오래되어 모두 물렀다.

5 갚아야 할 것을 치르다.
㉠ 강아지가 갑자기 물어 상처를 입었다.
㉡ 친구의 장난감을 망가뜨려 물어 주었다.

6-8 다음 밑줄 친 부분과 의미가 통하는 관용어를 보기에서 찾아 기호를 쓰세요.

보기   ㉠ 눈에 익다   ㉡ 눈이 높다
㉢ 눈을 씻고 보다   ㉣ 눈에 넣어도 아프지 않다

6 엄마는 비싸고 좋은 과일만 사신다.

7 늘 보던 익숙한 책이어서 빨리 읽을 수 있었다.

8 아무리 자세히 살펴보아도 두 그림의 다른 곳을 발견할 수 없었다.

9-12 밑줄 친 낱말의 뜻풀이를 보기에서 찾아 기호를 쓰세요.

보기   ㉠ 언짢고 섭섭하다.
㉡ 분위기나 의식이 장엄하고 정숙하다.
㉢ 의지할 대상이 없어 외롭고 쓸쓸하게 되다.
㉣ 계획, 결심, 자신감 등이 마음속에 이루어지다.

9 드디어 대회에 나갈 결심이 섰다.   (   )

10 친구가 전학을 가니 마음이 텅 비었다.
(   )

11 엄숙한 분위기에서 장례식이 시작되었다.
(   )

12 언니가 나의 간절한 부탁을 거절하여 야속하였다.
(   )

13-15 다음 뜻풀이에 알맞은 속담을 보기에서 찾아 기호를 쓰세요.

보기   ㉠ 아니 땐 굴뚝에 연기 날까
㉡ 윗물이 맑아야 아랫물도 맑다
㉢ 콩 심은 데 콩 나고 팥 심은 데 팥 난다

13 원인이 없으면 결과가 있을 수 없음을 이르는 말.
(   )

14 윗사람이 잘하면 아랫사람도 따라서 잘하게 된다는 말.   (   )

15 모든 일은 근본에 따라 거기에 걸맞은 결과가 나타나는 것임을 이르는 말.   (   )

걸린 시간   분   맞은 개수   개

1-3 밑줄 친 낱말의 뜻풀이를 **보기**에서 찾아 기호를 쓰세요.

> **보기** ㉠ 산에서 뾰족하게 높이 솟은 부분.
> ㉡ 한 나라의 통치권이 미치는 지역.
> ㉢ 여러 가지 예나 사실을 낱낱이 죽 늘어놓음.

1 독도는 우리나라의 영토이다.

2 설악산의 가장 높은 봉우리는 대청봉이다.

3 누나는 여행에 필요한 준비물을 열거하였다.

4-6 빈칸에 들어갈 알맞은 낱말을 **보기**에서 찾아 쓰세요.

> **보기** 소스라치게   숱하게   스며드는   열성적

4 창문 밖에서 나는 큰 소리에 (   ) 놀랐다.

5 현지는 학급 회의에 (   )으로 참여하였다.

6 옷에 물이 (   ) 것처럼 추위가 서서히 느껴졌다.

7-9 다음 문장에서 알맞지 않게 쓰인 낱말에 밑줄을 긋고 알맞은 낱말로 고쳐 쓰세요.

7 화를 삭히고 천천히 이야기해라.

8 장마가 끝나니 강물이 많이 부어 있었다.

9 봄이 되자 가지에 봉우리가 맺혀 아름다웠다.

10-12 다음 초성과 뜻풀이를 참고하여 빈칸에 들어갈 낱말을 쓰세요.

10 ㅇㅎ : 축하나 위로 등을 위하여 여러 사람이 모여 베푸는 잔치.
→ 할아버지의 생신을 축하하는 (   )이/가 열렸다.

11 ㅇㄴㅎ : 지구의 기온이 높아지는 현상.
→ 지구 (   )(으)로 천연 기념물이 점점 사라지고 있다.

12 ㅅㄴㄹ : 손을 이리저리 움직이는 일.
→ 마술사는 빠른 (   )(으)로 손에서 새를 꺼냈다.

13-14 밑줄 친 낱말과 바꾸어 쓸 수 있는 낱말을 **보기**에서 찾아 쓰세요.

> **보기** 분명한   슬며시   싹둑싹둑

13 짝이 슬쩍 내 책을 엿보았다.

14 할머니께서는 반가운 기색이 역력한 얼굴로 나를 맞아 주셨다.

15 **보기**의 빈칸에 들어갈 낱말이 순서대로 짝 지어진 것은 무엇인가요?

> **보기** 동생과 라면을 끓여 먹었다. 뜨거운 냄비에 손가락을 데어서 손가락이 (   ). 면을 너무 오래 끓였는지 면이 (   ) 맛이 없었다.

① 부었다 – 붇고   ② 불었다 – 붇고
③ 부었다 – 붓고   ④ 불었다 – 붓고

걸린 시간   분   맞은 개수   개

14회 어휘력 테스트

1-3 다음 뜻풀이에 알맞은 낱말을 **보기** 에서 찾아 쓰세요.

> **보기** 아로새기다 아슬아슬하다 애타다 울창하다

1 마음속에 또렷이 기억하여 두다. (   )

2 몹시 답답하거나 안타까워 속이 끓는 듯하다.
(   )

3 일이나 상황이 소름이 끼치도록 조금 위태롭거나 두렵다. (   )

4-5 빈칸에 공통으로 들어갈 낱말을 **보기** 에서 찾아 쓰세요.

> **보기** 언저리   얼씬   원만

4 • 나와 짝은 (   )한 관계이다.
• 친구는 성격이 (   )해서 인기가 많다.

5 • 호수 (   )을/를 걸었다.
• 선생님은 나이가 마흔 (   )(으)로 보였다.

6-8 다음 초성과 뜻풀이를 참고하여 빈칸에 들어갈 낱말을 쓰세요.

6 ㅇㄱ : 사실과 다르게 해석하거나 그릇되게 함.
→ 역사를 (   )하면 안 된다.

7 ㅇㄹ : 사람을 어리석게 보고 함부로 대하거나 웃음거리로 만듦.
→ (   )을/를 당해 아저씨가 화를 냈다.

8 ㅇㅊㅈ : 일이나 현상이 처음으로 시작되는 부분이 되는. 또는 그런 것.
→ 의식주는 (   ) 문제이다.

9-12 다음 뜻풀이에 알맞은 한자 성어를 **보기** 에서 찾아 기호를 쓰세요.

> **보기** ㉠ 난형난제   ㉡ 빈이무원
> ㉢ 백중지세   ㉣ 안분지족

9 가난하지만 남을 원망하지 않음. (   )

10 편안한 마음으로 제 분수를 지키며 만족할 줄을 앎.
(   )

11 힘이나 능력 등이 서로 엇비슷하여 누가 더 낫고 못함을 가리기 힘든 형세. (   )

12 누구를 형이라 하고 누구를 아우라 하기 어렵다는 뜻으로, 두 사물이 비슷하여 낮고 못함을 정하기 어려움을 이르는 말. (   )

13-15 다음 상황을 표현하기에 알맞은 한자 성어를 찾아 바르게 선으로 이으세요.

13 스님은 산속에서 검소하게 편안한 마음으로 살았다.   •   • ㉠ 빈이무원

14 농부는 농사가 잘 안되어 가난했지만 남을 원망하지 않았다.   •   • ㉡ 안빈낙도

15 우리 팀과 상대 팀의 농구 실력이 비슷하여 승부를 겨루기 힘들었다.   •   • ㉢ 호각지세

걸린 시간 ◯ 분   맞은 개수 ◯ 개

1-3 다음 뜻풀이에 알맞은 낱말을 **보기** 에서 찾아 쓰세요.

> **보기** 원활   유념   윤택   은폐

1 거침이 없이 잘되어 나감.   (   )

2 덮어 감추거나 가리어 숨김.   (   )

3 마음속에 깊이 간직하여 생각함.   (   )

4-5 밑줄 친 낱말이 다음과 같은 뜻으로 쓰인 문장의 기호를 쓰세요.

4 어떤 일이 일어나거나 진행되다.

> ㉠ 기이한 사건이 벌어졌다.
> ㉡ 지진으로 땅이 크게 벌어졌다.

5 현재의 좋지 않은 상태에서 벗어나다.

> ㉠ 과일을 잘 씻어 먹어야 한다.
> ㉡ 여행이 걱정을 한결 씻어 주었다.

6-8 다음 밑줄 친 부분과 의미가 통하는 관용어를 **보기** 에서 찾아 기호를 쓰세요.

> **보기** ㉠ 등을 돌리다   ㉡ 등을 떠밀다
> ㉢ 등골이 빠지다   ㉣ 등골이 서늘하다

6 동굴에 들어가니 두렵고 으스스하였다.

7 친하게 지내던 친구가 갑자기 나를 모른 척하고 멀리하였다.

8 집이 어려워지자 우리 가족은 죽을 힘을 다해 절약하고 열심히 돈을 모았다.

9-12 밑줄 친 낱말의 뜻풀이를 **보기** 에서 찾아 기호를 쓰세요.

> **보기** ㉠ 살림이 풍부함.
> ㉡ 의식이나 예식을 치르다.
> ㉢ 어떤 것이 다른 일을 일어나게 함.
> ㉣ 누명이나 오해에서 벗어나 떳떳한 상태가 되다.

9 나는 간절한 기도를 올렸다.   (   )

10 농사가 잘되어 살림이 윤택해졌다.   (   )

11 공부를 잘하려면 동기 유발이 중요하다.

(   )

12 현주와 나는 오해를 씻고 우정을 다짐하였다.

(   )

13-15 다음 뜻풀이에 알맞은 속담을 **보기** 에서 찾아 기호를 쓰세요.

> **보기** ㉠ 발 없는 말이 천 리 간다
> ㉡ 낮말은 새가 듣고, 밤말은 쥐가 듣는다
> ㉢ 가루는 칠수록 고와지고 말은 할수록 거칠어진다

13 아무도 안 듣는 데서라도 말조심해야 한다는 말.

(   )

14 가루는 체에 칠수록 고와지지만 말은 길어질수록 시비가 붙을 수 있으니 말을 삼가라는 말.

(   )

15 말은 비록 발이 없지만 천 리 밖까지도 순식간에 퍼진다는 뜻으로, 말을 삼가야 함을 이르는 말.

(   )

 걸린 시간   분   맞은 개수   개

1-3 밑줄 친 낱말의 뜻풀이를 **보기**에서 찾아 기호를 쓰세요.

> **보기**
> ㉠ 잇따라 자꾸.
> ㉡ 실물이나 사실에 근거하여 증명함.
> ㉢ 남의 지배나 구속을 받지 아니하고 스스로의 원칙에 따라 어떤 일을 하는 일.

1 강아지는 <u>연신</u> 고개를 흔들고 있다.

2 그 학설에 대한 <u>실증</u> 자료가 현재 부족하다.

3 일주일에 몇 권의 책을 읽을지 각자의 <u>자율</u>에 맡기기로 했다.

4-6 빈칸에 들어갈 알맞은 낱말을 **보기**에서 찾아 쓰세요.

> **보기**   싸여서   여려서   오그라들어서   오져서

4 나뭇가지가 너무 (   ) 바람에 부러지고 말았다.

5 장갑을 빨았더니 너무 (   ) 손을 넣기 힘들었다.

6 우리 선수가 골을 넣으니 기분이 (   ) 정말 기뻤다.

7-9 다음 문장에서 알맞지 않게 쓰인 낱말에 밑줄을 긋고 알맞은 낱말로 고쳐 쓰세요.

7 술래잡기를 너무 자주 해서 실증이 났다.

8 포장지에 쌓인 생일선물이 무엇인지 궁금했다.

9 감자가 너무 뜨거워서 호호 불어 시켜 먹었다.

10-12 다음 초성과 뜻풀이를 참고하여 빈칸에 들어갈 낱말을 쓰세요.

10 ㅇㄹㅇ : 모자람이 없이 온전하게.
→ 실력을 키우는 것은 (   ) 나의 노력에 달렸다.

11 ㅈㅅ : 경제적 가치가 있는 재산.
→ 판매가 늘어나서 기업의 (   )이/가 점점 늘어나고 있다.

12 ㅇㄱ : 사람으로서의 품격.
→ 김구 선생님의 고귀한 (   )을/를 많은 사람들이 존경하였다.

13-14 밑줄 친 낱말과 바꾸어 쓸 수 있는 낱말을 **보기**에서 찾아 쓰세요.

> **보기**   근접   물자   인용

13 한정된 <u>자원</u>을 아껴 써야 한다.

14 집이 산에 <u>인접</u>해서 공기가 좋다.

15 **보기**의 빈칸에 들어갈 낱말이 순서대로 짝 지어진 것은 무엇인가요?

> **보기**
> 어제 동생이 아파서 간호하다가 밤을 (   ). 학교에 왔더니 너무 졸려서 수업 시간에 졸고 말았다. 화가 나신 선생님께서 나를 자리에서 일으켜 (   ).

① 세웠다 – 새우셨다   ② 새웠다 – 세우셨다
③ 세웠다 – 세우셨다   ④ 새웠다 – 새우셨다

 걸린 시간   분   맞은 개수   개

[1-4] 다음 뜻풀이에 알맞은 낱말을 **보기**에서 찾아 쓰세요.

> **보기**
> 이웃하다   일렁이다
> 일컫다   자아내다   자잘하다

1 가리켜 말하다. ( )

2 여럿이 다 가늘거나 작다. ( )

3 물결이나 바람에 이리저리 자꾸 크고 가볍게 움직이다. ( )

4 감정이나 눈물 등이 저절로 생기거나 나오도록 일으켜 내다. ( )

[5-6] 빈칸에 공통으로 들어갈 낱말을 **보기**에서 찾아 쓰세요.

> **보기**
> 유난   적선   적합

5 • ( )을/를 베풀면 복이 온다.
  • 거지가 ( )해 달라고 말했다.

6 • 달리기는 나에게 ( )한 운동이다.
  • 이 땅은 농사 짓기에 ( )하지 않다.

[7-8] 다음 초성과 뜻풀이를 참고하여 빈칸에 들어갈 낱말을 쓰세요.

7 [ㅈ][ㄴ]: 뜻밖에 일어난 재앙과 고난.
  → 태풍으로 ( )이/가 닥치기 전에 미리 준비를 잘해야 한다.

8 [ㅇ][ㅇ]하다: 가까이 있어 경계가 서로 붙어 있다.
  → 중국과 우리나라는 ( )한 나라이다.

[9-12] 다음 뜻풀이에 알맞은 한자 성어를 **보기**에서 찾아 기호를 쓰세요.

> **보기**
> ㉠ 미봉책   ㉡ 고식지계
> ㉢ 태연자약   ㉣ 하석상대

9 눈가림만 하는 일시적인 계책. ( )

10 우선 당장 편한 것만을 택하는 꾀나 방법. ( )

11 마음에 어떠한 충동을 받아도 움직임이 없이 천연스러움. ( )

12 아랫돌 빼서 윗돌 괴고 윗돌 빼서 아랫돌 괸다는 뜻으로, 임시변통으로 이리저리 둘러맞춤을 이르는 말. ( )

[13-15] 다음 상황을 표현하기에 알맞은 한자 성어를 찾아 바르게 선으로 이으세요.

13 비가 와서 신문지로 가렸 • 지만 금세 옷이 젖었다.   • ㉠ 동족방뇨

14 밖에서 큰 소리가 났지만 우영이는 그대로 앉아 있었다. •   • ㉡ 유유자적

15 여름 방학에 시골의 외할머니 댁에 가서 조용하게 지내고 싶다. •   • ㉢ 태연자약

걸린 시간   분   맞은 개수   개

1-3 다음 뜻풀이에 알맞은 낱말을 보기 에서 찾아 쓰세요.

보기   실례   점검   조작   조화

1   낱낱이 검사함.   (   )

2   구체적인 실제의 보기.   (   )

3   어떤 일을 사실인 듯이 꾸며 만듦.   (   )

4-5 밑줄 친 낱말이 다음과 같은 뜻으로 쓰인 문장의 기호를 쓰세요.

4   권한 등을 차지하다.
     ㉠ 우리가 주도권을 잡았다.
     ㉡ 떠나려는 버스를 잡았다.

5   생각하고 궁리함.
     ㉠ 교통 사고로 강아지가 다쳤다.
     ㉡ 성장할수록 사고 영역을 넓혀야 한다.

6-8 다음 밑줄 친 부분과 의미가 통하는 관용어를 보기 에서 찾아 기호를 쓰세요.

보기 ㉠ 말을 잃다   ㉡ 말을 맞추다
      ㉢ 말머리를 자르다

6   동생이 내 과자를 먹었다는 말을 듣고 말이 나오지 않았다.

7   내가 의견을 말하는데 친구가 도중에 의견을 말해서 기분이 나빴다.

8   형과 나는 부모님께 소풍 가자는 부탁을 드리려고 미리 할 말을 준비하여 말하여 보았다.

9-12 밑줄 친 낱말의 뜻풀이를 보기 에서 찾아 기호를 쓰세요.

보기 ㉠ 일정한 곳에 머물러 삶.
      ㉡ 진리에 맞는 올바른 도리.
      ㉢ 매우 시급하고도 긴요한 상태에 있다.
      ㉣ 불순하거나 더러운 것을 깨끗하게 함.

9   자연은 정화 능력을 가지고 있다.   (   )

10   정의를 지키는 법관이 되고 싶다.   (   )

11   등교 시간은 우리에게 절실한 문제이다.
                                        (   )

12   청소를 잘해서 주거 환경을 깨끗이 하자.
                                        (   )

13-15 다음 뜻풀이에 알맞은 속담을 보기 에서 찾아 기호를 쓰세요.

보기 ㉠ 금강산도 식후경
      ㉡ 구더기 무서워 장 못 담글까
      ㉢ 사촌이 땅을 사면 배가 아프다

13   다소 방해되는 것이 있다 하더라도 마땅히 할 일은 하여야 함을 이르는 말.   (   )

14   남이 잘되는 것을 기뻐해 주지는 않고 오히려 질투하고 시기하는 경우를 이르는 말. (   )

15   아무리 재미있는 일이라도 배가 불러야 흥이 나지 배가 고파서는 아무 일도 할 수 없음을 이르는 말.   (   )

걸린 시간   분   맞은 개수   개

1-3 밑줄 친 낱말의 뜻풀이를 **보기**에서 찾아 기호를 쓰세요.

> **보기** ㉠ 가리키어 확실하게 정함.
> ㉡ 어떤 기회나 때가 무르익기 전에 미리.
> ㉢ 기운을 제대로 펴지 못하고 움츠러드는 태도나 성질.

1 선생님의 꾸중을 듣고 <u>주눅</u>이 들었다.

2 영화관에서는 <u>지정</u> 좌석에 앉아야 한다.

3 경찰자를 보고 <u>지레</u> 겁을 먹고 그 자리에 섰다.

4-6 빈칸에 들어갈 알맞은 낱말을 **보기**에서 찾아 쓰세요.

> **보기** 쟁였다   집어삼켰다   짓궂었다   참신했다

4 시장의 새로운 공약이 (   ).

5 전쟁이 날 것 같아서 쌀을 (   ).

6 말썽쟁이 선희는 항상 산만하고 (   ).

7-9 다음 문장에서 알맞지 않게 쓰인 낱말에 밑줄을 긋고 알맞은 낱말로 고쳐 쓰세요.

7 골목에 웬 아저씨가 서성이고 있었다.

8 친구가 내 생일을 잇고 있어서 서운하였다.

9 나는 비록 나이는 어리석지만 꿈을 이루려고 노력한다.

10-12 다음 초성과 뜻풀이를 참고하여 빈칸에 들어갈 낱말을 쓰세요.

10 ㅈㄱ : 끊임없이 잇따라.
→ 놀이터에서 (   ) 친구를 기다렸다.

11 ㅈㅇ : 강압적인 힘으로 억눌러 진정시킴.
→ 화재를 (   )하러 소방차가 출동하였다.

12 ㅉㅇㅅ : 글이나 이야기가 체계를 갖추어 연관되어 있는 상태.
→ 그 동화는 (   )이/가 있고 재미있어서 인기가 있다.

13-14 밑줄 친 낱말과 바꾸어 쓸 수 있는 낱말을 **보기**에서 찾아 쓰세요.

> **보기** 뒷받침   주시   진로

13 그 가수는 귀여운 외모로 <u>주목</u>을 받았다.

14 준호는 우리 반 친구들의 <u>지지</u>를 받아 전교 학생회장에 당선되었다.

15 **보기**의 빈칸에 들어갈 낱말이 순서대로 짝 지어진 것은 무엇인가요?

> **보기** 아버지께서는 지난여름 할머니를 (   ). 그 슬픔으로 하루하루 (   ) 가셨다. 그래서 우리 가족은 아버지가 너무 걱정되었다.

① 여의셨다 - 여위어   ② 여위셨다 - 여의어

③ 여의셨다 - 여의어   ④ 여위셨다 - 여위어

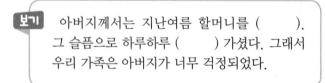

 걸린 시간 (   ) 분   맞은 개수 (   ) 개

20회 어휘력 테스트

1-4 다음 뜻풀이에 알맞은 낱말을 **보기**에서 찾아 쓰세요.

> **보기**
> 쨍쨍하다   쩌렁거리다
> 촘촘하다   출렁이다   쾌적하다

1 기분이 상쾌하고 즐겁다. (   )

2 틈이나 간격이 매우 좁거나 작다. (   )

3 햇볕 등이 몹시 내리쬐는 데가 있다.
(   )

4 목소리가 크고 높게 울리는 소리가 자꾸 나다.
(   )

5-6 빈칸에 공통으로 들어갈 낱말을 **보기**에서 찾아 쓰세요.

> **보기**
> 치솟은   턱없는   토라진

5 • 하늘로 (   ) 불길이 무서웠다.
• 머리끝까지 (   ) 화가 풀리지 않는다.

6 • (   ) 거짓말에 속을 리가 없다.
• (   ) 실력이지만 시험에 도전해 보겠다.

7-8 다음 초성과 뜻풀이를 참고하여 빈칸에 들어갈 낱말을 쓰세요.

7 ㅊㅊ : 풀, 나무, 광석 등을 찾아 베거나 캐거나 하여 얻어 냄.
➜ 이 바다에서 조개를 (   )하면 안 된다.

8 ㅊㄱㅈ : 일정한 원리에 따라서 낱낱의 부분이 짜임새 있게 조직되어 통일된 전체를 이루는. 또는 그런 것.
➜ 시민들은 비상 상황에서도 (   )으로 움직여 사고가 나지 않았다.

9-12 다음 뜻풀이에 알맞은 한자 성어를 **보기**에서 찾아 기호를 쓰세요.

> **보기**
> ㉠ 구우일모   ㉡ 우후죽순
> ㉢ 임기응변   ㉣ 자포자기

9 절망에 빠져 자신을 스스로 포기하고 돌아보지 아니함. (   )

10 그때그때 처한 사태에 맞추어 즉각 그 자리에서 결정하거나 처리함. (   )

11 비가 온 뒤에 여기저기 솟는 죽순이라는 뜻으로, 어떤 일이 한때에 많이 생겨남을 이르는 말.
(   )

12 아홉 마리의 소 가운데 박힌 하나의 털이란 뜻으로, 매우 많은 것 가운데 극히 적은 수를 이르는 말. (   )

13-15 다음 상황을 표현하기에 알맞은 한자 성어를 찾아 바르게 선으로 이으세요.

13 꽃은 많을수록 좋다.   •   • ㉠ 다다익선

14 지윤이는 순해 보여도 강한 의지가 있다.   •   • ㉡ 외유내강

15 식당에 들어가서 무엇을 먹을지 결정하지 못하고 있다.   •   • ㉢ 우유부단

걸린 시간 (   ) 분   맞은 개수 (   ) 개

1-3 다음 뜻풀이에 알맞은 낱말을 **보기** 에서 찾아 쓰세요.

> **보기**   양식   탄식   토종   통제

1 살기 위한 사람의 먹을거리.   (   )

2 한탄하여 한숨을 쉼. 또는 그 한숨.   (   )

3 일정한 방침이나 목적에 따라 행위를 제한하거나 제약함.   (   )

4-5 밑줄 친 낱말이 다음과 같은 뜻으로 쓰인 문장의 기호를 쓰세요.

4 물건의 끝에 가루나 액체 등을 묻히다.

> ㉠ 사진을 <u>찍어</u> 전시회를 열었다.
> ㉡ 붓에 물감을 <u>찍어</u> 그림을 그렸다.

5 길목이나 통과 지점을 주의를 기울여 살피다.

> ㉠ 질서를 <u>지키지</u> 않으면 혼란이 온다.
> ㉡ 손님이 올 때까지 정문을 <u>지키고</u> 있었다.

6-8 다음 밑줄 친 부분과 의미가 통하는 관용어를 **보기** 에서 찾아 기호를 쓰세요.

> **보기** ㉠ 발이 저리다   ㉡ 발 벗고 나서다
> ㉢ 발길이 멀어지다   ㉣ 발걸음을 재촉하다

6 마을 일에 아빠는 <u>열심히 나서셨다.</u>

7 친구가 멀리 이사 간 뒤로 <u>서로의 집에 오고 가는 것이 뜸해졌다.</u>

8 감나무의 감을 따 먹은 것이 <u>조마조마해서 안절부절 못하였다.</u>

9-12 밑줄 친 낱말의 뜻풀이를 **보기** 에서 찾아 기호를 쓰세요.

> **보기** ㉠ 일정한 사물만이 특별히 갖추고 있음.
> ㉡ 물고기나 해조, 버섯 등을 사람이 기름.
> ㉢ 여러 가지 자료를 모아 체계적으로 정리하여 책을 만듦.
> ㉣ 다른 것에 마음을 기대어 도움을 받음. 또는 그렇게 하는 대상.

9 요즘 <u>양식</u>한 굴이 많이 나온다.   (   )

10 엄마는 나에게 항상 <u>의지</u>가 된다.   (   )

11 그는 힘들면 웃는 <u>특유</u>한 버릇이 있다. (   )

12 그는 사전을 <u>편찬</u>하는 일에 일생을 바쳤다.   (   )

13-15 다음 뜻풀이에 알맞은 속담을 **보기** 에서 찾아 기호를 쓰세요.

> **보기** ㉠ 뛰는 놈 위에 나는 놈 있다
> ㉡ 벼 이삭은 익을수록 고개를 숙인다
> ㉢ 오르지 못할 나무는 쳐다보지도 마라

13 자기의 능력 밖의 불가능한 일에 대해서는 처음부터 욕심을 내지 않는 것이 좋다는 말.   (   )

14 아무리 재주가 뛰어나다 하더라도 그보다 더 뛰어난 사람이 있다는 뜻으로, 스스로 뽐내는 사람을 경계하여 이르는 말.   (   )

15 교양이 있고 수양을 쌓은 사람일수록 겸손하고 남 앞에서 자기를 내세우려 하지 않는다는 것을 이르는 말.   (   )

 걸린 시간   분   맞은 개수   개

22회 어휘력 테스트

1-4 밑줄 친 낱말의 뜻풀이를 **보기**에서 찾아 기호를 쓰세요.

보기
ㄱ 한 사람이 맡은 역할.
ㄴ 본보기로 삼을 만한 것.
ㄷ 산이나 바다 등의 자연이나 지역의 모습.

1 경호가 우리 반 우승에 한몫을 했다.

2 제주도의 풍광은 언제 보아도 아름답다.

3 서우의 행동은 우리 반 친구들의 표본이 되었다.

4-6 빈칸에 들어갈 알맞은 낱말을 **보기**에서 찾아 쓰세요.

보기 틀어박혀   판판하여   평안하여   하릴없어

4 도로가 (   ) 공이 데굴데굴 굴렀다.

5 작가는 집 안에 (   ) 움직일 줄 몰랐다.

6 우리 마을 사람들은 (   ) 걱정이 없었다.

7-9 다음 문장에서 알맞지 않게 쓰인 낱말에 밑줄을 긋고 알맞은 낱말로 고쳐 쓰세요.

7 참새는 철새가 아니라 텃세이다.

8 친구들이 읽은 학급 문고를 횟수해 오거라.

9 합격 결과를 기다리는 동안 가슴을 조렸다.

10-12 다음 초성과 뜻풀이를 참고하여 빈칸에 들어갈 낱말을 쓰세요.

10 ㅍㄱ : 사람 된 바탕과 타고난 성품.
→ 여왕의 행동에서 (   )이/가 느껴졌다.

11 ㅎㅅ : 여러 사람이 함께 외치거나 지르는 소리.
→ 선수들의 (   )이/가 운동장에 울려 퍼졌다.

11 ㅍㄱ : 비행기에서 폭탄을 떨어뜨려 적의 군대나 시설물을 파괴하는 일.
→ 적군에게 (   )을/를 당해 배가 부서졌다.

13-14 밑줄 친 낱말과 바꾸어 쓸 수 있는 낱말을 **보기**에서 찾아 쓰세요.

보기 따뜻하였다   판판하였다   퍼졌다

13 향기로운 꽃 냄새가 교실에 풍겼다.

14 엄마의 품에 안기니 무척 포근하였다.

15 **보기**의 빈칸에 들어갈 낱말이 순서대로 짝 지어진 것은 무엇인가요?

보기 오늘은 김장하는 날이다. 소금에 (   ) 배추를 채반에 건져서 물기를 뺐다. 온 가족이 둘러앉아 버무린 양념을 배추 속에 넣었다. 오랫동안 앉아 있었더니 다리가 (   ).

① 절인 – 절였다   ② 절인 – 저렸다
③ 저린 – 절였다   ④ 저린 – 저렸다

걸린 시간　　　분　맞은 개수　　　개

1-3 다음 뜻풀이에 알맞은 낱말을 보기에서 찾아 쓰세요.

보기
허름하다   헐벗다   흘겨보다   흩날리다

1 좀 헌 듯하다.   (   )

2 흘기는 눈으로 보다.   (   )

3 흩어져 날리다. 또는 그렇게 하다. (   )

4-6 빈칸에 공통으로 들어갈 낱말을 보기에서 찾아 쓰세요.

보기
허투루   허위   헤집어   호리호리

4 • 그는 키가 크고 (   )하다.
   • 몸집이 (   )하니 옷이 잘 어울린다.

5 • 막대기로 잿더미를 (   ) 보았다.
   • 이불 귀퉁이를 (   ) 솜을 뜯어냈다.

6 • 숙제를 (   ) 하면 다시 해야 한다.
   • 떨어진 바늘은 (   ) 보지 말고 자세히 보아야 찾을 수 있다.

7-8 다음 초성과 뜻풀이를 참고하여 빈칸에 들어갈 낱말을 쓰세요.

7 ㅎ ㅇ : 부름에 응답한다는 뜻으로, 부름이나 호소에 대답하거나 응함.
   → 반 친구들의 (   )을/를 받아 대표에 당선되었다.

8 ㅎ ㅈ : 산간 지대에서 풀과 나무를 불태우고 그 자리를 일구어 농사를 짓는 밭.
   → 깊은 산속에서 (   )을/를 일구어 감자를 캤다.

9-12 다음 뜻풀이에 알맞은 한자 성어를 보기에서 찾아 기호를 쓰세요.

보기
㉠ 문일지십   ㉡ 적반하장
㉢ 주객전도   ㉣ 청출어람

9 제자나 후배가 스승이나 선배보다 나음을 이르는 말.   (   )

10 하나를 듣고 열 가지를 미루어 안다는 뜻으로, 지극히 총명함을 이르는 말.   (   )

11 주인과 손의 위치가 서로 뒤바뀐다는 뜻으로, 사물의 앞뒤 등이 서로 뒤바뀜을 이르는 말.
                                              (   )

12 도둑이 도리어 매를 든다는 뜻으로, 잘못한 사람이 아무 잘못도 없는 사람을 나무람을 이르는 말.
                                              (   )

13-15 다음 상황을 표현하기에 알맞은 한자 성어를 찾아 바르게 선으로 이으세요.

13 서영이는 노래도 잘 부르고 달리기도 잘한다.   •   • ㉠ 다재다능

14 동생은 한글을 배우기 시작하더니 금세 책을 읽기 시작했다.   •   • ㉡ 본말전도

15 그는 어른들께 인사도 하지 않고 대뜸 자신이 원하는 것부터 말했다.   •   • ㉢ 일취월장

걸린 시간 (   ) 분   맞은 개수 (   ) 개

1-3 다음 뜻풀이에 알맞은 낱말을 보기에서 찾아 쓰세요.

> 보기   확산   황폐   효모   훼손

1 체면이나 명예를 손상함.   (   )

2 정신이나 생활 등이 거칠어지고 메말라 감.
(   )

3 자낭균류에 속하는 균류. 식품 제조 시 발효와 부풀리기에 이용됨.   (   )

4-5 밑줄 친 낱말이 다음과 같은 뜻으로 쓰인 문장의 기호를 쓰세요.

4 잘되어 가던 일을 꼬이게 하다.
㉠ 텔레비전을 틀어서 영화를 보았다.
㉡ 선미가 약속을 틀어서 일정이 바뀌었다.

5 모르거나 복잡한 문제 등을 알아내거나 해결하다.
㉠ 머리를 풀고 잠자리에 들었다.
㉡ 수학 문제를 풀고 채점을 하였다.

6-8 다음 밑줄 친 부분과 의미가 통하는 관용어를 보기에서 찾아 기호를 쓰세요.

> 보기 ㉠ 코가 높다   ㉡ 코가 빠지다
>   ㉢ 코가 땅에 닿다

6 공부를 잘해서 뽐내는 친구가 얄미웠다.

7 농구공을 잃어버려서 걱정되고 기운 없었다.

8 강아지를 주신 옆집 아저씨께 머리를 숙여 인사드렸다.

9-12 밑줄 친 낱말의 뜻풀이를 보기에서 찾아 기호를 쓰세요.

> 보기 ㉠ 기뻐하고 즐거워하는 마음.
>   ㉡ 종이나 천 등으로 물건을 싸서 꾸림.
>   ㉢ 여러 세대가 지난 뒤의 자손을 이르는 말.
>   ㉣ 물체에 힘을 가하면 모양이 바뀌었다가, 그 힘을 제거하면 본디의 모양으로 되돌아가려고 하는 성질.

9 선물을 예쁘게 포장하였다.   (   )

10 고무줄은 탄성이 있어서 잘 늘어난다.
(   )

11 후손에게 깨끗한 환경을 물려주어야 한다.
(   )

12 친구는 환심을 사기 위해 상냥하게 말했다.
(   )

13-15 다음 뜻풀이에 알맞은 속담을 보기에서 찾아 기호를 쓰세요.

> 보기 ㉠ 모난 돌이 정 맞는다
>   ㉡ 같은 값이면 다홍치마
>   ㉢ 원수는 외나무다리에서 만난다

13 두각을 나타내는 사람이 남에게 미움을 받게 된다는 말.   (   )

14 값이 같거나 같은 노력을 한다면 품질이 좋은 것을 택한다는 말.   (   )

15 꺼리고 싫어하는 대상을 피할 수 없는 곳에서 만나게 됨을 이르는 말.   (   )

걸린 시간	분	맞은 개수	개

MEMO

정답과
해설

확인 학습 정답

01회

교과 어휘 - 한자어 ▶ 본문 9쪽

1 ㉡	2 ㉠	3 ㉢	4 깔끔하다
5 고침	6 새롭게	7 강수량	8 감지
9 감전	10 ②		

교과 어휘 - 고유어 ▶ 본문 11쪽

1 갸웃하다	2 거스르다	3 견주다	4 ㉠
5 ㉢	6 ㉡	7 ㉡	8 ㉠
9 ㉠			

심화 어휘 - 헷갈리기 쉬운 낱말 ▶ 본문 13쪽

1 ㉢	2 ㉡	3 ㉠	4 가려서
5 걷히는	6 거치는	7 결합	8 요동치며
9 요동쳤다 → 고동쳤다		10 거치고 → 걷히고	

02회

교과 어휘 - 한자어 ▶ 본문 15쪽

1 ㉡	2 ㉠	3 ㉢	4 사납다
5 깨달아	6 목적	7 경로	8 경청
9 수색	10 식견		

교과 어휘 - 고유어 ▶ 본문 17쪽

1 구불거리다	2 그윽하다	3 까끌까끌하다	4 ㉢
5 ㉠	6 ㉡	7 ㉢	8 ㉠
9 ㉡	10 ③		

심화 어휘 - 주제별 한자 성어 ▶ 본문 19쪽

1 ㉢	2 ㉡	3 ㉠	4 마음
5 백골	6 명경지수	7 측은지심	8 일편단심
9 ②			

03회

교과 어휘 - 한자어 ▶ 본문 21쪽

1 ㉡	2 ㉢	3 ㉠	4 옛날
5 공평	6 고안	7 고려	8 관측
9 ③			

교과 어휘 - 다의어·동음이의어 ▶ 본문 23쪽

1 ㉠	2 ㉠	3 ㉡	4 ㉠
5 ㉢	6 곱고	7 거르고	8 ㉡
9 ㉠			

심화 어휘 - 주제별 속담·관용어 ▶ 본문 25쪽

1 ㉡	2 ㉢	3 ㉠	4 ㉡
5 ㉠	6 까마귀	7 쥐	
8 부었는지, 졸이며, 작은			

04회

교과 어휘 - 한자어 ▶ 본문 27쪽

1 광활하다	2 기막히다	3 교묘하다	4 ㉡
5 ㉠	6 ㉢	7 ㉠	8 ㉢
9 ㉡	10 ⑤		

교과 어휘 - 고유어 ▶ 본문 29쪽

1 ㉢	2 ㉡	3 ㉠	4 넓고
5 고단하여	6 나른해서	7 남다르게	8 끌어모아서
9 매일매일	10 묶음		

심화 어휘 - 헷갈리기 쉬운 낱말 ▶ 본문 31쪽

1 ㉢	2 ㉠	3 ㉡	4 담가서
5 담아서	6 끼여서	7 곯아	8 굳은
9 곯아서 → 골아서		10 끼여 → 끼워	

05회

교과 어휘 – 한자어 ▶ 본문 33쪽

1 ㉢	2 ㉠	3 ㉡	4 얼굴
5 바다	6 조치	7 단열	8 기색
9 급박하게	10 기묘하게		

교과 어휘 – 고유어 ▶ 본문 35쪽

1 덧없다	2 돋보이다	3 달싹이다	4 ㉡
5 ㉠	6 ㉢	7 ㉡	8 ㉠
9 ㉠	10 ㉡		

심화 어휘 – 주제별 한자 성어 ▶ 본문 37쪽

1 ㉢	2 ㉡	3 ㉠	4 평화로운
5 먹을	6 태평성대	7 흥망성쇠	8 고진감래
9 ②			

06회

교과 어휘 – 한자어 ▶ 본문 39쪽

1 ㉠	2 ㉢	3 ㉡	4 혼자서
5 많거나	6 만족할	7 면담	8 막대
9 독점	10 이름		

교과 어휘 – 다의어·동음이의어 ▶ 본문 41쪽

1 ㉠	2 ㉡	3 ㉡	4 ㉠
5 ㉢	6 대기하고	7 꾸미고	8 ㉡
9 ㉠			

심화 어휘 – 주제별 속담·관용어 ▶ 본문 43쪽

1 ㉠	2 ㉢	3 ㉡	4 ㉡
5 ㉢	6 침	7 부채질	
8 수그러졌다, 돌렸던, 들			

07회

교과 어휘 – 한자어 ▶ 본문 45쪽

1 ㉡	2 ㉠	3 ㉢	4 사고파는
5 분명하지	6 맞닿아	7 반격	8 미간
9 수없이	10 애매하게		

교과 어휘 – 고유어 ▶ 본문 47쪽

1 뒤척이다	2 매캐하다	3 망설이다	4 ㉡
5 ㉢	6 ㉠	7 ㉡	8 ㉠
9 ㉠	10 ㉠		

심화 어휘 – 헷갈리기 쉬운 낱말 ▶ 본문 49쪽

1 ㉠	2 ㉢	3 ㉡	4 도랑
5 덥혀	6 덮여	7 두렁	8 담담하게
9 들려서 → 들러서		10 담담하게 → 당당하게	

08회

교과 어휘 – 한자어 ▶ 본문 51쪽

1 ㉡	2 ㉢	3 ㉠	4 돌보아
5 파냄	6 내부	7 보육	8 배양
9 성장	10 폐단		

교과 어휘 – 고유어 ▶ 본문 53쪽

1 발긋하다	2 바람직하다	3 뭉뚝하다	4 ㉡
5 ㉢	6 ㉡	7 ㉡	8 ㉠
9 뭉뚝하게	10 바람직한		

심화 어휘 – 주제별 한자 성어 ▶ 본문 55쪽

1 ㉡	2 ㉠	3 ㉢	4 뼈
5 고생	6 주마가편	7 절차탁마	8 맹모단기
9 ①			

확인 학습 정답

09회

교과 어휘 – 한자어 ▶ 본문 57쪽

1 ㉢	2 ㉡	3 ㉠	4 강함
5 침	6 결합	7 불순	8 분주
9 보온	10 ㉠		

교과 어휘 – 다의어·동음이의어 ▶ 본문 59쪽

1 ㉡	2 ㉡	3 ㉡	4 ㉢
5 ㉠	6 막고	7 더듬고	8 말고
9 ㉡	10 ㉠		

심화 어휘 – 주제별 속담·관용어 ▶ 본문 61쪽

1 ㉡	2 ㉢	3 ㉠	4 ㉠
5 ㉡	6 소금	7 구슬	
8 물자, 감추고, 밟히고			

10회

교과 어휘 – 한자어 ▶ 본문 63쪽

1 비옥	2 살포	3 서식	4 ㉡
5 ㉢	6 ㉠	7 ㉢	8 ㉡
9 ㉠	10 ⑤		

교과 어휘 – 고유어 ▶ 본문 65쪽

1 ㉡	2 ㉠	3 ㉢	4 성난
5 비웃는	6 격한	7 뻑뻑한	8 변변한
9 소리치고	10 돌보고		

심화 어휘 – 헷갈리기 쉬운 낱말 ▶ 본문 67쪽

1 ㉢	2 ㉡	3 ㉠	4 배웅
5 바래	6 마중	7 바랐다	8 받치고
9 받아서 → 밭아서		10 밭칠 → 받힐	

11회

교과 어휘 – 한자어 ▶ 본문 69쪽

1 ㉡	2 ㉢	3 ㉠	4 기본
5 지배	6 지켜야	7 세포	8 수요
9 식견	10 이치		

교과 어휘 – 고유어 ▶ 본문 71쪽

1 뿌리박다	2 섬뜩하다	3 뿌듯하다	4 ㉢
5 ㉡	6 ㉠	7 ㉡	8 ㉠
9 ㉢	10 ⑤		

심화 어휘 – 주제별 한자 성어 ▶ 본문 73쪽

1 ㉢	2 ㉡	3 ㉠	4 마음
5 누워서	6 전전긍긍	7 솔선수범	8 독야청청
9 ⑤			

12회

교과 어휘 – 한자어 ▶ 본문 75쪽

1 ㉢	2 ㉠	3 ㉡	4 체험하는
5 분별하는	6 길러서	7 압력	8 안목
9 엄중	10 섭섭		

교과 어휘 – 다의어·동음이의어 ▶ 본문 77쪽

1 ㉡	2 ㉡	3 ㉢	4 ㉠
5 ㉡	6 물러서	7 물어서	8 ㉡
9 ㉠			

심화 어휘 – 주제별 속담·관용어 ▶ 본문 79쪽

1 ㉠	2 ㉢	3 ㉡	4 ㉡
5 ㉢	6 맑다	7 굴뚝	
8 아프지, 씻고, 익은			

13회

교과 어휘 - 한자어 ▶ 본문 81쪽

1 ㉠	2 ㉢	3 ㉡	4 온난화
5 역력	6 열거	7 여행길	8 국토
9 ②			

교과 어휘 - 고유어 ▶ 본문 83쪽

1 숱하다	2 소스라치다	3 심드렁하다	4 피하여
5 움직이는	6 베는	7 ㉡	8 ㉠
9 ㉡	10 ㉠		

심화 어휘 - 헷갈리기 쉬운 낱말 ▶ 본문 85쪽

1 ㉢	2 ㉠	3 ㉡	4 붓고
5 붇고	6 봉오리	7 삭혀	8 빠르게
9 봉오리 → 봉우리		10 삭히고 → 삭이고	

14회

교과 어휘 - 한자어 ▶ 본문 87쪽

1 ㉡	2 ㉠	3 ㉢	4 빽빽하게
5 모난	6 시작되는	7 원만	8 왜곡
9 준공	10 조롱		

교과 어휘 - 고유어 ▶ 본문 89쪽

1 아낌없다	2 아양	3 얼씬거리다	4 ㉡
5 ㉠	6 ㉢	7 ㉢	8 ㉠
9 ㉡	10 ㉡		

심화 어휘 - 주제별 한자 성어 ▶ 본문 91쪽

1 ㉡	2 ㉠	3 ㉢	4 맞선
5 힘든	6 빈이무원	7 안분지족	8 난형난제
9 ④			

15회

교과 어휘 - 한자어 ▶ 본문 93쪽

1 ㉡	2 ㉠	3 ㉢	4 윤택
5 유념	6 원활	7 ㉡	8 ㉠
9 ㉢	10 ①		

교과 어휘 - 다의어·동음이의어 ▶ 본문 95쪽

1 ㉡	2 ㉡	3 ㉡	4 ㉢
5 ㉠	6 벌어지고	7 씻고	8 ㉡
9 ㉠			

심화 어휘 - 주제별 속담·관용어 ▶ 본문 97쪽

1 ㉢	2 ㉡	3 ㉠	4 ㉡
5 ㉢	6 발	7 고와지고	
8 떠밀어서, 빠지게			

16회

교과 어휘 - 한자어 ▶ 본문 99쪽

1 ㉢	2 ㉡	3 ㉠	4 품격
5 옆에	6 구속	7 자산	8 자원
9 인품	10 비용		

교과 어휘 - 고유어 ▶ 본문 101쪽

1 오지다	2 올바르다	3 와닿다	4 ㉠
5 ㉢	6 ㉡	7 ㉡	8 ㉠
9 ⑤			

심화 어휘 - 헷갈리기 쉬운 낱말 ▶ 본문 103쪽

1 ㉡	2 ㉠	3 ㉢	4 실증
5 세우고	6 새우고	7 쌓여	8 시키셨다
9 실증 → 싫증		10 싸이면 → 쌓이면	

확인 학습 정답

17회

교과 어휘 - 한자어
▶ 본문 105쪽

1 ㉡	2 ㉠	3 ㉢	4 알맞다
5 다함	6 오염된	7 재배	8 적선
9 재앙	10 정화		

교과 어휘 - 고유어
▶ 본문 107쪽

1 잠자코	2 유난	3 응석	4 ㉠
5 ㉢	6 ㉡	7 ㉢	8 ㉡
9 ㉠	10 ④		

심화 어휘 - 주제별 한자 성어
▶ 본문 109쪽

1 ㉢	2 ㉠	3 ㉡	4 일시적인
5 충동	6 유유자적	7 태연자약	8 하석상대
9 ③			

18회

교과 어휘 - 한자어
▶ 본문 111쪽

1 ㉡	2 ㉠	3 ㉢	4 머물러
5 더러운	6 생각	7 조작	8 점검
9 거주	10 날조		

교과 어휘 - 다의어·동음이의어
▶ 본문 113쪽

1 ㉡	2 ㉡	3 ㉡	4 ㉠
5 ㉢	6 줄고	7 사고	8 ㉠
9 ㉡			

심화 어휘 - 주제별 속담·관용어
▶ 본문 115쪽

1 ㉢	2 ㉠	3 ㉡	4 ㉡
5 ㉢	6 금강산	7 장	8 자르고, 삼키고

19회

교과 어휘 - 한자어
▶ 본문 117쪽

1 ㉡	2 ㉢	3 ㉠	4 새롭고
5 관심	6 억눌러	7 지정	8 주목
9 증진	10 ①		

교과 어휘 - 고유어
▶ 본문 119쪽

1 쟁이다	2 짓궂다	3 짜릿하다	4 ㉡
5 ㉢	6 ㉠	7 ㉡	8 ㉠
9 ㉢	10 ㉡		

심화 어휘 - 헷갈리기 쉬운 낱말
▶ 본문 121쪽

1 ㉢	2 ㉡	3 ㉠	4 여의고
5 어리고	6 어리석고	7 여위어	8 잊고
9 왠 → 웬	10 웬지 → 왠지		

20회

교과 어휘 - 한자어
▶ 본문 123쪽

1 ㉢	2 ㉠	3 ㉡	4 생각하여
5 상쾌하고	6 설치	7 체계적	8 첨단
9 추리	10 채집		

교과 어휘 - 고유어
▶ 본문 125쪽

1 탈바꿈하다	2 출렁이다	3 토라지다	4 ㉡
5 ㉢	6 ㉠	7 ㉡	8 ㉠
9 ㉢	10 ③		

심화 어휘 - 주제별 한자 성어
▶ 본문 127쪽

1 ㉠	2 ㉢	3 ㉡	4 포기
5 결정	6 임기응변	7 우후죽순	8 구우일모
9 ⑤			

21회

교과 어휘 – 한자어　　　　　　　　▶ 본문 129쪽

1 ㉠	2 ㉢	3 ㉡	4 특수한
5 갖추고	6 정리하여	7 토종	8 편견
9 한탄	10 규제		

교과 어휘 – 다의어·동음이의어　　　▶ 본문 131쪽

1 ㉡	2 ㉠	3 ㉡	4 ㉠
5 ㉢	6 의지	7 지키는	8 ㉠
9 ㉡			

심화 어휘 – 주제별 속담·관용어　　▶ 본문 133쪽

1 ㉢	2 ㉠	3 ㉡	4 ㉠
5 ㉡	6 나는	7 오르지	
8 발 벗고, 재촉하며			

22회

교과 어휘 – 한자어　　　　　　　　▶ 본문 135쪽

1 포복	2 해독	3 평안	4 ㉠
5 ㉢	6 ㉡	7 ㉢	8 ㉠
9 ㉡	10 ③		

교과 어휘 – 고유어　　　　　　　　▶ 본문 137쪽

1 ㉢	2 ㉡	3 ㉠	4 돌아가는
5 서투른	6 허둥거리는	7 포근하게	8 틀어박혀
9 하릴없이	10 ㉠		

심화 어휘 – 헷갈리기 쉬운 낱말　　▶ 본문 139쪽

1 ㉢	2 ㉠	3 ㉡	4 졸여서
5 저리고	6 절이고	7 텃세	8 횟수
9 졸여서 → 조려서		10 조리고 → 졸이고	

23회

교과 어휘 – 한자어　　　　　　　　▶ 본문 141쪽

1 ㉡	2 ㉢	3 ㉠	4 꾸민
5 의미	6 맺는	7 화전	8 호응
9 조약	10 판단		

교과 어휘 – 고유어　　　　　　　　▶ 본문 143쪽

1 허투루	2 호리호리하다		3 헐벗다
4 ㉢	5 ㉠	6 ㉡	7 ㉠
8 ㉢	9 ㉡	10 ㉡	

심화 어휘 – 주제별 한자 성어　　　▶ 본문 145쪽

1 ㉡	2 ㉢	3 ㉠	4 든다
5 열	6 다재다능	7 청출어람	8 주객전도
9 ④			

24회

교과 어휘 – 한자어　　　　　　　　▶ 본문 147쪽

1 ㉡	2 ㉢	3 ㉠	4 즐거워하는
5 자손	6 황폐	7 효모	8 훼손
9 피폐	10 호감		

교과 어휘 – 다의어·동음이의어　　　▶ 본문 149쪽

1 ㉠	2 ㉡	3 ㉡	4 ㉠
5 ㉢	6 풀어서	7 탄성	8 ㉡
9 ㉠			

심화 어휘 – 주제별 속담·관용어　　▶ 본문 151쪽

1 ㉡	2 ㉠	3 ㉢	4 ㉠
5 ㉡	6 값	7 원수	
8 높았던, 납작해져서, 땅에 닿게			

01회

▶ 어휘력 테스트 2쪽

1 ㉡	2 ㉢	3 ㉠	4 가녀린
5 요동쳐서	6 간결한	7 가려서 → 갈라서	
8 걷혀서 → 거쳐서		9 요동쳤다 → 고동쳤다	
10 개혁	11 감지	12 개명	13 비교하여
14 부탁	15 ①		

5 강물 때문에 다리를 건너기가 무서운 상황이므로 '심하게 흔들리거나 움직이다.'를 뜻하는 '요동치다'가 알맞습니다.

6 '간결하다'는 '간단하고 깔끔하다.'라는 뜻입니다.

7 '가르다'는 '쪼개거나 나누어 따로따로 되게 하다.'라는 뜻입니다. 두 모둠으로 나눈다는 뜻이므로 '갈라서'가 알맞습니다.

15 '걷히다'는 '구름이나 안개 등이 흩어져 없어지다.'라는 뜻입니다. '거치다'는 '오가는 도중에 어디를 지나거나 들르다.'라는 뜻입니다.

02회

▶ 어휘력 테스트 3쪽

1 경청	2 곰곰이	3 귀퉁이	4 검색
5 경로	6 그윽한	7 고작	8 격렬
9 ㉢	10 ㉠	11 ㉡	12 ㉣
13 ㉠	14 ㉢	15 ㉡	

4 '검색'은 '범죄나 사건을 밝히기 위한 단서나 증거를 찾기 위하여 살펴 조사함.'과 '책이나 컴퓨터에서, 목적에 따라 필요한 자료들을 찾아내는 일.'을 뜻하는 말입니다.

6 '그윽하다'는 '깊숙하여 아늑하고 고요하다.', '느낌이 은근하다.'를 뜻하는 말입니다.

13 '각골난망'은 '남에게 입은 은혜가 뼈에 새길 만큼 커서 잊히지 아니함.'이라는 뜻입니다. 선생님의 은혜를 가슴에 깊이 새긴다는 상황에 알맞습니다.

14 '측은지심'은 '불쌍히 여기는 마음.'이라는 뜻입니다. 고양이를 불쌍히 여기는 상황에 알맞습니다.

03회

▶ 어휘력 테스트 4쪽

1 고려하다	2 곱다	3 구하다	4 ㉡
5 ㉠	6 ㉣	7 ㉢	8 ㉠
9 ㉡	10 ㉣	11 ㉠	12 ㉢
13 ㉢	14 ㉡	15 ㉠	

4 ㉠ '깊은 동굴에 박쥐가 산다.'에 쓰인 '깊다'는 '겉에서 속까지의 거리가 멀다.'라는 뜻입니다.

5 ㉡ '하루도 거르지 않고 책을 읽어서 칭찬을 받았다.'에 쓰인 '거르다'는 '차례대로 나아가다가 중간에 어느 순서나 자리를 빼고 넘기다.'라는 뜻입니다.

7 '간을 졸이다'는 '매우 걱정되고 불안스러워 마음을 놓지 못하다.'라는 뜻의 관용어입니다. 유리창 깬 것을 들킬까 봐 조마조마한 상황에 알맞습니다.

8 '간이 붓다'는 '지나치게 대담해지다.'라는 뜻이므로 견우가 대담하게 발표를 하겠다고 손을 드는 상황에 알맞습니다.

04회

▶ 어휘력 테스트 5쪽

1 ㉠	2 ㉡	3 ㉢	4 남다르게
5 광활한	6 낚아채어	7 끼우고 → 끼이고	
8 굳어서 → 궂어서		9 골아서 → 곯아서	
10 권장	11 균등	12 나날이	13 맥없게
14 까다롭게	15 ③		

7 문틈에서 옷자락이 빠지지 않는 상황이므로 '벌어진 사이로 들어가 죄이고 빠지지 않게 되다.'라는 뜻을 가진 '끼이고'가 알맞습니다.

9 '곯다'는 '속이 물크러져 상하다.'라는 뜻이고, '골다'는 '잠잘 때 거친 숨결이 콧구멍을 울려 드르렁거리는 소리를 내다.'라는 뜻입니다. 따라서 포도가 상한 상황이므로 '곯아서'가 알맞습니다.

15 '담그다'는 '김치나 술 등을 만드는 재료를 섞어 익도록 그릇에 넣다.'라는 뜻이고, '담다'는 '어떤 물건을 그릇 등에 넣다.'라는 뜻입니다.

05회

▶ 어휘력 테스트 6쪽

1 다급하다	2 덧없다	3 느닷없다	4 노릇
5 누그러진	6 기이	7 대처	8 넌지시
9 ⓒ	10 ⓛ	11 ②	12 ⓝ
13 ⓛ	14 ⓒ	15 ⓝ	

4 '노릇'은 '맡은 바 구실.' 또는 '일의 됨됨이나 형편.'을 뜻하는 말입니다.

5 '누그러지다'는 '추위, 질병, 물가 등이 내려 덜하여지다.' 또는 '딱딱한 성질이 부드러워지거나 약하여지다.'를 뜻하는 말입니다.

13 '태평성대'는 '어진 임금이 잘 다스리어 태평한 세상이나 시대.'를 뜻합니다. 세종이 나라를 잘 다스려서 백성들이 평안한 상황에 어울리는 말입니다.

15 '고진감래'는 '쓴 것이 다하면 단 것이 온다는 뜻으로, 고생 끝에 즐거움이 옴을 이르는 말.'입니다. 열심히 노력하여 시험에 합격한 상황을 잘 표현합니다.

06회

▶ 어휘력 테스트 7쪽

1 독차지	2 면담	3 명칭	4 ⓝ
5 ⓝ	6 ⓒ	7 ⓛ	8 ②
9 ⓒ	10 ⓛ	11 ②	12 ⓝ
13 ⓛ	14 ⓒ	15 ⓝ	

4 ⓛ '대기'는 '때나 기회를 기다림.'이라는 뜻입니다.

5 ⓛ '꾸미다'는 '모양이 나게 매만져 차리거나 손질하다.'라는 뜻입니다.

6 '고개를 끄덕이다'는 '옳다거나 좋다는 뜻으로 고개를 위아래로 흔들다.'라는 뜻을 가진 말입니다.

7 '고개를 돌리다'는 '어떤 사람, 일, 상황 등을 외면하다.'라는 뜻을 가진 말입니다. 못 들은 척 외면하는 상황에 어울리는 말입니다.

8 '고개가 수그러지다'는 '존경하는 마음이 일어나다.'라는 뜻을 가진 말입니다.

07회

▶ 어휘력 테스트 8쪽

1 ⓒ	2 ⓝ	3 ⓛ	4 돌이키기
5 또렷하게	6 당당하게	7 도랑 → 두렁	
8 들렀다 → 들렸다		9 덥혀 → 덮여	
10 반격	11 모방	12 매캐	13 가까운
14 여러모로	15 ①		

8 '들르다'는 '지나는 길에 잠깐 들어가 머무르다.'라는 뜻입니다. '사람이나 동물의 감각 기관을 통해 소리가 알아차려지다.'라는 의미의 '들리다'를 써서 '강아지 짖는 소리가 들렸다.'가 알맞습니다.

9 들판에 눈이 내려 솜이불을 얹혀 씌워진 것처럼 보인다는 뜻이므로, '드러나거나 보이지 않도록 넓은 천 등이 얹혀 씌워지다.'라는 뜻으로 쓰인 '덮여'가 알맞습니다.

15 집으로 가는 길에 잠시 놀이터에 들어가 머무른 상황이므로 '들렀다'가 알맞고, 강아지를 만나 놀랐지만 차분하고 평온하게 뒤돌아서서 나왔다는 뜻의 '담담하게'가 알맞습니다.

08회

▶ 어휘력 테스트 9쪽

1 멋쩍다	2 몰려들다	3 무릅쓰다	4 배양
5 발굴	6 발육	7 병폐	8 발긋
9 ⓛ	10 ⓒ	11 ②	12 ⓝ
13 ⓛ	14 ⓝ	15 ⓒ	

4 '배양'은 '인격, 역량, 사상 등이 발전하도록 가르치고 키움.' 또는 '인공적인 환경을 만들어 동식물 세포, 미생물 등을 기름.'의 뜻이 있습니다.

13 '불철주야'는 '어떤 일에 몰두하여 조금도 쉴 사이 없이 밤낮을 가리지 아니함.'을 뜻하므로 밤낮으로 글을 쓰는 상황에 잘 어울립니다.

14 '망양지탄'은 '갈림길이 매우 많아 잃어버린 양을 찾을 길이 없음을 탄식한다는 뜻으로, 학문의 길이 여러 갈래여서 진리를 찾기가 어려움을 이르는 말.'입니다. 진리를 찾기 힘든 상황을 잘 표현합니다.

어휘력 테스트 정답과 해설

09회
▶ 어휘력 테스트 10쪽

1 보행	2 부강	3 불순	4 ㉠
5 ㉡	6 ㉠	7 ㉢	8 ㉡
9 ㉣	10 ㉢	11 ㉠	12 ㉡
13 ㉠	14 ㉢	15 ㉡	

4 ㉡ '막다'는 '어떤 일이나 행동을 못하게 하다.'를 뜻합니다.

5 ㉠ '말다'는 '넓적한 물건을 돌돌 감아 원통형으로 겹치게 하다.'를 뜻합니다.

6 '꼬리를 물다'는 '계속 이어지다.'를 뜻하는 말로 질문이 이어지는 상황에 어울리는 표현입니다.

7 '꼬리를 내리다'는 '상대편에게 기세가 꺾여 물러서거나 움츠러들다.'를 뜻하는 말입니다. 축구 경기에 져서 기세가 움츠러든 상황을 표현하기에 알맞습니다.

11회
▶ 어휘력 테스트 12쪽

1 살그머니	2 선뜻	3 수요	4 사뭇
5 생생	6 시야	7 선호	8 설치
9 ㉠	10 ㉡	11 ㉢	12 ㉣
13 ㉡	14 ㉢	15 ㉠	

4 '사뭇'은 '내내 끝까지.'와 '아주 딴판으로.'라는 뜻을 가지고 있습니다.

6 '시야'는 '사물을 관찰하고 분석하는 눈.'과 '시력이 미치는 범위.'를 뜻합니다.

14 '전전긍긍'은 '몹시 두려워서 벌벌 떨며 조심함.'이라는 뜻입니다. 의사가 전염병이 더 퍼질까 두려워하는 모습을 잘 표현합니다.

15 '독야청청'은 '남들이 모두 절개를 꺾는 상황 속에서도 홀로 절개를 굳세게 지키고 있음을 이르는 말.'입니다. 신하가 절개를 지키는 상황에 알맞습니다.

10회
▶ 어휘력 테스트 11쪽

1 ㉠	2 ㉢	3 ㉡	4 뻑뻑하고
5 보듬고	6 뽀로통하고	7 밭았다 → 받았다	
8 바랐다 → 바랬다		9 받혀 → 밭쳐	
10 빈곤	11 생성	12 배웅	13 튀어나오고
14 야유하고	15 ③		

4 '물기가 적어서 부드러운 맛이 없다.'를 뜻하는 '뻑뻑하다'가 알맞습니다.

5 '사람이나 동물을 가슴에 붙도록 안다.'라는 뜻을 가진 '보듬다'가 들어가야 합니다.

13 '불거지다'는 '물체의 겉으로 둥글게 툭 비어져 나오다.'를 뜻하는 말이므로 '겉으로 툭 비어져 나오다.'라는 뜻을 가진 '튀어나오다'와 바꾸어 쓸 수 있습니다.

15 '바래다'는 '볕이나 습기를 받아 색이 변하다.'라는 뜻이고, '바라다'는 '어떤 일이나 상태가 이루어지거나 그렇게 되었으면 하고 생각하다.'라는 뜻입니다.

12회
▶ 어휘력 테스트 13쪽

1 안목	2 양성	3 압력	4 ㉡
5 ㉡	6 ㉡	7 ㉠	8 ㉢
9 ㉣	10 ㉢	11 ㉡	12 ㉠
13 ㉠	14 ㉡	15 ㉢	

5 ㉠ '물다'는 '윗니와 아랫니 사이에 끼운 상태로 다소 세게 누르다.'라는 뜻입니다.

6 '눈이 높다'는 '정도 이상의 좋은 것만 찾는 버릇이 있다.'라는 뜻입니다. 비싸고 좋은 과일만을 찾는 상황에 알맞은 표현입니다.

7 '눈에 익다'는 '여러 번 보아서 익숙하다.'라는 뜻입니다. 많이 보아서 익숙한 책이라는 뜻이므로 '눈에 익다'라는 표현이 어울립니다.

8 '눈을 씻고 보다'는 '정신을 바짝 차리고 집중하여 보다.'라는 뜻입니다. 두 그림의 다른 곳을 자세히 살펴보는 상황에 어울리는 표현입니다.

13회

▶ 어휘력 테스트 14쪽

1 ㉡	2 ㉠	3 ㉢	4 소스라치게
5 열성적	6 스며드는	7 삭히고 → 삭이고	
8 부어 → 불어		9 봉우리 → 봉오리	
10 연회	11 온난화	12 손놀림	13 슬며시
14 분명한	15 ①		

4 '소스라치다'는 '깜짝 놀라 몸을 갑자기 떠는 듯이 움 직이다.'라는 뜻입니다.

5 '열성적'은 '열렬한 정성을 들이는, 또는 그런 것.'이 라는 뜻입니다.

7 '긴장이나 화를 풀어 마음을 가라앉히다.'를 뜻하는 '삭이다'를 넣어 '화를 삭이고 천천히 이야기해라.'가 알맞습니다.

8 '분량이나 수효가 많아지다.'를 뜻하는 '붇다'를 넣어 '장마가 끝나니 강물이 많이 불어 있었다.'로 써야 합 니다.

14회

▶ 어휘력 테스트 15쪽

1 아로새기다	2 애타다	3 아슬아슬하다	4 원만
5 언저리	6 왜곡	7 우롱	8 원초적
9 ㉡	10 ㉣	11 ㉢	12 ㉠
13 ㉡	14 ㉠	15 ㉢	

4 '원만하다'는 '서로 사이가 좋다.'와 '성격이 모난 데가 없이 부드럽고 너그럽다.'를 뜻하는 말입니다.

5 '언저리'는 '둘레의 가 부분.' 또는 '어떤 나이나 시간 의 전후'라는 뜻을 가진 말입니다.

13 '안빈낙도'는 '가난한 생활을 하면서도 편안한 마음으 로 도를 즐겨 지킴.'을 뜻하는 말입니다. 검소하지만 편안한 마음으로 사는 스님의 상황에 잘 어울립니다.

15 '호각지세'는 '양쪽의 실력이 비슷해서 서로 낫고 못 함이 없이 맞선 기세.'라는 뜻입니다. 두 팀의 농구 실력이 비슷하여 승부를 겨룰 수 없는 상황을 잘 표 현합니다.

15회

▶ 어휘력 테스트 16쪽

1 원활	2 은폐	3 유념	4 ㉠
5 ㉡	6 ㉣	7 ㉠	8 ㉢
9 ㉡	10 ㉠	11 ㉢	12 ㉣
13 ㉡	14 ㉢	15 ㉠	

4 ㉡ '벌어지다'는 '갈라져서 사이가 뜨다.'라는 뜻입니다.

5 ㉠ '씻다'는 '물이나 휴지로 때나 더러운 것을 없게 하 다.'라는 뜻입니다.

6 '등골이 서늘하다'는 '두려움으로 아찔하고 등골이 떨 리다.'라는 뜻으로 동굴에 들어가 무서운 상황에 잘 어울립니다.

7 '등을 돌리다'는 '뜻을 같이하던 사람이나 단체와 관 계를 끊고 따돌리다.'를 뜻하는 관용어입니다. 친구 와의 관계가 멀어진 상황에 어울립니다.

16회

▶ 어휘력 테스트 17쪽

1 ㉠	2 ㉡	3 ㉢	4 여려서
5 오그라들어서		6 오져서	7 실증 → 싫증
8 쌓인 → 싸인		9 시켜 → 식혀	
10 오롯이	11 자산	12 인격	13 물자
14 근접	15 ②		

6 '오지다'는 '마음에 흡족하게 흐뭇하다.'라는 뜻을 가 진 말입니다.

7 '실증'은 '실물이나 사실에 근거하여 증명함.'이라는 뜻이므로 이 문장에 알맞지 않습니다. '싫은 생각이 나 느낌. 또는 그런 반응.'을 뜻하는 '싫증'이 알맞습 니다.

9 '식히다'는 '더운 기를 없애다.'라는 뜻입니다.

15 '새우다'는 '한숨도 자지 아니하고 밤을 지내다.'라는 뜻이고, '세우다'는 '몸이나 몸의 일부를 곧게 펴게 하 거나 일어서게 하다.'라는 뜻입니다. 따라서 '밤을 새 웠다.', '자리에서 일으켜 세우셨다.'가 알맞습니다.

어휘력 테스트 정답과 해설

17회
▶ 어휘력 테스트 18쪽

1 일컫다	2 자잘하다	3 일렁이다	4 자아내다
5 적선	6 적합	7 재난	8 이웃
9 ㉠	10 ㉡	11 ㉢	12 ㉣
13 ㉠	14 ㉢	15 ㉡	

5 '적선'은 '착한 일을 많이 함.' 또는 '동냥질에 응하는 일을 좋게 이르는 말.'이라는 뜻입니다.

13 '동족방뇨'는 '언 발에 오줌 누기라는 뜻으로, 잠시 동안만 효력이 있을 뿐 효력이 바로 사라짐을 이르는 말.'이라는 뜻입니다. 신문지로 비를 피하는 상황을 잘 표현합니다.

14 '태연자약'은 '마음에 어떠한 충동을 받아도 움직임이 없이 천연스러움.'을 뜻합니다. 큰 소리가 났는데도 태연한 상황에 잘 어울립니다.

15 외할머니 댁에서 조용히 지내는 상황은 '유유자적'과 어울립니다.

18회
▶ 어휘력 테스트 19쪽

1 점검	2 실례	3 조작	4 ㉠
5 ㉡	6 ㉠	7 ㉢	8 ㉡
9 ㉣	10 ㉡	11 ㉢	12 ㉠
13 ㉡	14 ㉢	15 ㉠	

4 ㉡ '잡다'는 '자동차 등을 타기 위하여 세우다.'라는 뜻입니다.

5 ㉠ '사고'는 '뜻밖에 일어난 불행한 일.'이라는 뜻입니다.

7 '말머리를 자르다'는 '상대방이 말하는 도중에 말을 중지시키다.'라는 뜻을 가진 관용어입니다. 친구가 자신의 말을 중지시킨 상황에 알맞습니다.

8 '말을 맞추다'는 '다른 사람과 말의 내용이 다르지 않게 하다.'라는 뜻을 가진 관용어입니다. 부모님께 부탁을 드리기 전에 말할 내용을 미리 정하여 보고 다르지 않게 하는 상황에 어울립니다.

19회
▶ 어휘력 테스트 20쪽

1 ㉢	2 ㉠	3 ㉡	4 참신했다
5 쟁였다	6 짓궂었다	7 왠 → 웬	8 잇고 → 잊고
9 어리석지만 → 어리지만	10 줄곧	11 진압	
12 짜임새	13 주시	14 뒷받침	15 ①

4 '참신하다'는 '새롭고 산뜻하다.'라는 뜻입니다.

5 '쟁이다'는 '물건을 차곡차곡 포개어 쌓아 두다.'라는 뜻입니다.

7 '웬'은 '어찌 된'이라는 뜻을 가진 말이고, '왠'은 '왜인지'의 준말인 '왠지'라고 쓸 때만 쓰는 말입니다.

9 '어리석다'는 '슬기롭지 못하고 둔하다.'라는 뜻이고, '어리다'는 '나이가 상대적으로 적거나 얼마 되지 않다.'라는 뜻입니다. 문장에 쓰인 '나이는'이라는 말로 보아 '어리지만'이 들어가야 합니다.

20회
▶ 어휘력 테스트 21쪽

1 쾌적하다	2 촘촘하다	3 쨍쨍하다	4 쩌렁거리다
5 치솟은	6 턱없는	7 채취	8 체계적
9 ㉣	10 ㉢	11 ㉡	12 ㉠
13 ㉠	14 ㉡	15 ㉢	

5 '치솟다'는 '위쪽으로 힘차게 솟다.' 또는 '감정, 생각 등이 세차게 복받쳐 오르다.'를 뜻하는 말입니다.

6 '턱없다'는 '근거가 없거나 이치에 맞지 않다.' 또는 '수준이나 분수에 맞지 아니하다.'라는 뜻을 가진 말입니다.

14 '외유내강'은 '겉으로는 부드럽고 순하게 보이나 속은 곧고 굳셈.'이라는 뜻입니다. 순해 보여도 강한 의지가 있는 지윤이에게 잘 어울리는 말입니다.

15 '우유부단'은 '어물어물 망설이기만 하고 결단성이 없음.'을 뜻합니다. 주문할 음식을 쉽게 결정하지 못하는 상황을 잘 표현합니다.

21회

▶ 어휘력 테스트 22쪽

1 양식	**2** 탄식	**3** 통제	**4** ㉢
5 ㉡	**6** ㉡	**7** ㉢	**8** ㉠
9 ㉡	**10** ㉣	**11** ㉠	**12** ㉢
13 ㉢	**14** ㉠	**15** ㉡	

4 ㉠ '찍다'는 '어떤 대상을 촬영기로 비추어 그 모양을 옮기다.'라는 뜻입니다.

5 ㉠ '지키다'는 '규정, 약속 등을 어기지 아니하고 그대로 실행하다.'라는 뜻입니다.

6 '발 벗고 나서다'는 '적극적으로 나서다.'라는 뜻이므로 열심히 마을 일을 하시는 모습에 어울리는 표현입니다.

7 '발길이 멀어지다'는 '서로 찾아오거나 찾아가는 것이 뜸해지다.'라는 뜻입니다.

8 '발이 저리다'는 '지은 죄가 있어 마음이 조마조마하거나 편안치 아니하다.'라는 뜻입니다. 감을 따 먹어 불안한 상황에 잘 맞습니다.

22회

▶ 어휘력 테스트 23쪽

1 ㉠	**2** ㉢	**3** ㉡	**4** 판판하여
5 틀어박혀	**6** 평안하여	**7** 텃세 → 텃새	
8 횟수 → 회수		**9** 조렸다 → 졸였다	
10 품격	**11** 함성	**12** 폭격	**13** 퍼졌다
14 따뜻하였다		**15** ②	

4 '판판하다'는 '물건의 표면이 높낮이가 없이 고르고 넓다.'라는 뜻입니다.

6 '평안하다'는 '걱정이나 탈이 없다. 또는 무사히 잘 있다.'라는 뜻입니다.

7 '텃세'는 '먼저 자리를 잡은 사람이 뒤에 들어오는 사람을 업신여기는 행동.'을 뜻하는 말로 이 문장에 알맞지 않습니다. '일 년 동안 거의 한 지역에서만 살면서 번식하는 새.'라는 뜻을 가진 '텃새'가 알맞습니다.

8 '도로 거두어들임.'을 뜻하는 '회수'가 알맞습니다.

23회

▶ 어휘력 테스트 24쪽

1 허름하다	**2** 흘겨보다	**3** 흩날리다	**4** 호리호리
5 헤집어	**6** 허투루	**7** 호응	**8** 화전
9 ㉣	**10** ㉠	**11** ㉢	**12** ㉡
13 ㉠	**14** ㉢	**15** ㉡	

4 '호리호리하다'는 '몸이 가늘고 날씬하다.'라는 뜻입니다.

5 '헤집다'는 '긁어 파서 뒤집어 흩다.'라는 뜻입니다.

13 '다재다능'은 '재주와 능력이 여러 가지로 많음.'이라는 뜻으로, 재주가 많은 서영이를 잘 표현합니다.

14 '일취월장'은 '나날이 다달이 자라거나 발전함.'이라는 뜻입니다. 동생이 한글을 빨리 배우고 익힌 상황에 어울리는 표현입니다.

15 '본말전도'는 '사물의 순서나 위치 또는 이치가 거꾸로 된 것.'이라는 뜻입니다. 인사와 대화의 순서가 바뀐 상황을 잘 표현하는 말입니다.

24회

▶ 어휘력 테스트 25쪽

1 훼손	**2** 황폐	**3** 효모	**4** ㉡
5 ㉡	**6** ㉠	**7** ㉡	**8** ㉢
9 ㉡	**10** ㉣	**11** ㉢	**12** ㉠
13 ㉠	**14** ㉡	**15** ㉢	

4 ㉠ '틀다'는 '전기 제품 등을 작동하게 하다.'라는 뜻입니다.

5 ㉠ '풀다'는 '묶이거나 합쳐진 것 등을 그렇지 아니한 상태가 되게 하다.'라는 뜻입니다.

6 '코가 높다'는 '잘난 체하고 뽐내는 기세가 있다.'라는 뜻을 가진 말입니다. 공부를 잘해서 잘난 체하고 뽐내는 상황에 어울립니다.

8 '코가 땅에 닿다'는 '머리를 깊이 숙이다.'를 뜻하는 관용어입니다. 감사한 마음에 머리를 숙여 인사하는 상황에 알맞습니다.

MEMO

www.ggumtl.co.kr

청소년들 모두가 아름다운 꿈을 이룰 그날을 위해
꿈을담는틀은 오늘도 희망의 불을 밝힙니다.

이 책을 추천합니다.

▶▶ 평소에 아이가 책을 많이 접하고 자주 읽게 하려고 노력하는 편인데, 다양한 책을 읽다 보면 당연히 알고 있을 것이라고 생각했던 쉬운 어휘를 모르는 경우가 종종 있었습니다. 이 책에서는 한자어, 고유어, 다의어, 동음이의어 등 다양한 기초 낱말과 한자 성어, 속담, 관용어 같은 어려운 내용까지 함께 배울 수 있어서 좋았습니다.

— 이미정 (안산초등학교 3학년 학부모)

▶▶ 탄탄한 어휘력은 독해의 기본입니다. 길고 어려운 글을 독해할 때 우리는 어휘를 중심으로 맥락을 파악합니다. 그러나 탄탄한 어휘력을 쌓는 일은 단시간에 문제를 많이 푼다고 이루어지는 것이 아닙니다. 평소에 어휘가 문장 안에서 어떤 의미로 사용되고 있는지, 이를 대체할 낱말들에는 무엇이 있는지를 곰곰이 생각해 보는 연습이 필요합니다.

— 신주용 (서울대 자유전공학부 19학번)

독해력을 키우는 **단계별·수준별** 맞춤 훈련!!

초등
국어

일등급 독해력

▶ 전 6권 / 각 권 본문 176쪽 · 해설 48쪽 안팎

수업 집중도를
높이는
교과서 연계 지문

생각하는 힘을
기르는
수능 유형 문제

독해의 기초를
다지는
어휘 반복 학습

≫ 초등 국어 독해, 왜 필요할까요?

● 초등학생 때 형성된 독서 습관이 모든 학습 능력의 기초가 됩니다.
● 글 속의 중심 생각과 정보를 자기 것으로 만들어 **문제를 해결하는 능력**은 한 번에
  생기는 것이 아니므로, 좋은 글을 읽으며 차근차근 쌓아야 합니다.

현직 초등 교사들이 알려 주는
초등 1·2학년 / 3·4학년 / 5·6학년
공부법의 모든 것

〈1·2학년〉 이미경·윤인아·안재형·조수원·김성옥 지음 | 216쪽 | 13,800원
〈3·4학년〉 성선희·문정현·성복선 지음 | 240쪽 | 14,800원
〈5·6학년〉 문주호·차수진·박인섭 지음 | 256쪽 | 14,800원

★ 개정 교육과정을 반영한 현장감 넘치는 설명
★ 초등학생 자녀를 둔 학부모라면 꼭 알아야 할 모든 정보가 한 권에!

KAIST SCIENCE 시리즈
미래를 달리는 로봇

박종원·이성혜 지음 | 192쪽 | 13,800원

★ KAIST 과학영재교육연구원 수업을 책으로!
★ 한 권으로 쏙쏙 이해하는 로봇의 수학·물리학·생물학·공학

하루 15분 부모와 함께하는 말하기 놀이
룰루랄라 어린이 스피치

서차연·박지현 지음 | 184쪽 | 12,800원

★ 유튜브 〈즐거운 스피치 룰루랄라 TV〉에서 저자 직강 제공

가족과 함께 집에서 하는 실험 28가지
미래 과학자를 위한
즐거운 실험실

잭 챌로너 지음 | 이승택·최세희 옮김
164쪽 | 13,800원

★ 런던왕립학회 영 피플 수상
★ 가족을 위한 미국 교사 추천

메이커: 미래 과학자를 위한 프로젝트
즐거운 종이 실험실

캐시 세서리 지음 | 이승택·이준성·
이재분 옮김 | 148쪽 | 13,800원

★ STEAM 교육 전문가의 엄선 노하우

메이커: 미래 과학자를 위한 프로젝트
즐거운 야외 실험실

잭 챌로너 지음 | 이승택·이재분 옮김
160쪽 | 13,800원

★ 메이커 교사회 필독 추천서

메이커: 미래 과학자를 위한 프로젝트
즐거운 과학 실험실

잭 챌로너 지음 | 이승택·홍민정 옮김
160쪽 | 14,800원

★ 도구와 기계의 원리를 배우는 과학 실험

서울시 영등포구 당산로 50길 3 꿈을담는빌딩 6층 | 전화 1544-6533 | 홈페이지 dreamybook.co.kr